Giuseppe Ferrari

W9-CEY-936

MAMA FERICITĂ

**Tot ceea ce trebuie să ştii
pentru a-ţi creşte cât mai bine copilul**

501 întrebări şi răspunsuri

Giuseppe Ferrari

MAMA FERICITĂ

**Tot ceea ce trebuie să ştii
pentru a-ţi creşte cât mai bine copilul**

501 întrebări şi răspunsuri

Traducere de Carmen Chirculescu

Redactare: Alina Scurtu
Tehnoredactare computerizată: Corina Huțan
Coperta: Valeria Moldovan

Giuseppe Ferrari, *La mamma felice. Tutto quello che devi sapere per far crescere al meglio il tuo bebè. 501 domande e risposte*
© 2009, Istituto Geografico De Agostini S.p.A.
Fotografia copertei: www.istock.com

Toate drepturile asupra acestei ediții în limba română
sunt rezervate Editurii CORINT, parte componentă
a GRUPULUI EDITORIAL CORINT.

ISBN 978-973-135-534-4

Descrierea CIP a Bibliotecii Naționale a României
FERRARI, GIUSEPPE
   Mama fericită: tot ceea ce trebuie să știi pentru a-ți crește
   cât mai bine copilul: 501 întrebări și răspunsuri /Giuseppe Ferrari;
   trad.: Carmen Chirculescu. - București: Corint, 2009
   Index
   ISBN 978-973-135-534-4

I. Chirculescu, Carmen (trad.)

613.95

CUPRINS

INTRODUCERE

În procesul creşterii, copilul trebuie să parcurgă un drum alcătuit din etape fundamentale, la care ajunge însumând o serie de mici succese zilnice. Aceste succese pot fi obţinute prin îmbinarea dintre capacităţile înnăscute ale copilului şi situaţia din mediul înconjurător. Acesta din urmă este reprezentat în primul an de viaţă aproape exclusiv de către familie, îndeosebi de către părinţi, rolul cel mai important revenind mamei.

În ciuda ajutorului din partea profesioniştilor şi a existenţei unei enorme cantităţi de informaţii, când se află în faţa unor probleme cu care se confruntă micuţii lor, mulţi părinţi îşi pun întrebări pe care ar fi trebuit să le adreseze medicului pediatru, specialistului care a predat cursurile de pregătire pentru naştere, bunicilor, mătuşilor…

În această carte am vrut să cuprind întrebările cele mai frecvente care mi-au fost puse de către părinţi de-a lungul a mai bine de patruzeci de ani de carieră, cu privire la copilaşii lor aflaţi în primul an de viaţă. Unele vor părea banale, dar eu susţin că nu există întrebări inutile, dacă răspunsurile folosesc la evitarea comiterii unor greşeli în modul de creştere a copilului.

Autorul

1. Nașterea

Supravegherea bunului mers al nașterii depășește competența medicului pediatru, dar acesta știe cât de importantă este pentru viața unui copil aventura venirii pe lume. Să ne ocupăm așadar pe scurt de acest subiect, evaluând aspectele practice.

Naştere naturală sau cezariană?

Naşterea naturală constituie pentru femeie o experienţă fascinantă din punct de vedere psihologic, dar, ca la toate evenimentele naturale, pot să apară unele lucruri neprevăzute şi complicaţii. La rândul său, cezariana, atunci când devine obligatorie tocmai datorită unor cauze neprevăzute, devine o intervenţie de urgenţă şi deci inevitabilă. Dincolo de orice apreciere sau judecăţi etice, cezariana programată (atât datorită unor cauze clinice, cât şi datorită simplei „comodităţi" a mamelor sau a medicilor ginecologi) ar trebui să aibă ca scop în intenţiile medicului eliminarea multora dintre evenimentele imprevizibile care pot să apară în timpul naşterii naturale. Repet: „ar trebui", deoarece pot avea loc unele intervenţii medicale care tind să forţeze evenimente naturale din punct de vedere fiziologic, ceea ce nu duce întotdeauna la rezultatele aşteptate, deoarece, în timpul practicii, sunt anulate, în mod artificial, acele treceri pe care natura le-a stabilit de-a lungul a mii de ani de evoluţie.

Travaliul natural facilitează adaptarea fătului la viaţa extrauterină?

Da, travaliul natural stimulează la făt o stare de alertă care va favoriza adaptarea copilului la viaţa de după naştere; dimpotrivă, multe medicamente administrate în timpul naşterii au efect opus. Aşadar, cu cât medicamentele vor fi folosite mai cu întârziere, cu atât mai treaz şi mai capabil să reacţioneze se va dovedi nou-născutul la naştere.

Medicamentele administrate mamei (înainte sau în timpul travaliului sau al naşterii prin cezariană) trec prin placentă?

Da, şi într-un anumit sens pot influenţa comportamentul nou-născutului după naştere. Renumitul medic pediatru american T. Berry Brazelton, cel care a creat Scara evaluării comportamentale a nou-născutului, afirmă că, prin administrarea unei medicaţii controlate cu atenţie, au avut loc doar scurte efecte tranzitorii în comportamentul micuţilor născuţi prin cezariană, fără diferenţe semnificative faţă de cele observate la copilaşii veniţi pe lume după un travaliu normal şi o naştere naturală. Brazelton susţine că, în plus, efectele de uşoară depresie, observate la copiii născuţi prin cezariană, încetează, de obicei, după patruzeci şi opt de ore şi, în dezvoltarea ulterioară, nu se întâlnesc diferenţe între copiii născuţi prin cezariană şi cei născuţi prin naştere naturală.

Este necesar ca medicul pediatru să fie cunoscut înainte de naştere?

Da, chiar dacă în ţara noastră nu se întâmplă întotdeauna. Dacă luaţi această decizie, atunci luna a şaptea este momentul cel mai oportun, deoarece, în ultimele luni de graviditate, părinţii, care abia aşteaptă momentul, pierd din vedere faptul că modul lor de viaţă se va schimba. Când se va apropia data naşterii, atenţia mamei şi a tatălui se va îndrepta asupra acelui moment, iar pentru puţin timp copilul va trece pe planul doi, pentru ca apoi să devină punctul central al preocupării, la numai câteva clipe de la naşterea sa. Pentru medicul pediatru cu experienţă, sau pentru medicul pediatru care este dispus să facă faţă acestor tipuri de atitudine faţă de copilul pentru care va trebui să îşi asume responsabilitatea, această întâlnire constituie un moment fundamental. Îi permite să înţeleagă ce fel de părinţi va avea copilul care este pe punctul de a se naşte şi îi sugerează cum să îşi pregătească din timp intervenţiile pentru a determina o creştere a copilului în cel mai bun mod posibil. Datorită acestui fapt, eu prefer să îl vizitez pe nou-născut mai degrabă acasă decât la spital. Casa îmi spune multe lucruri despre familie şi, deci, despre viitorul micuţului.

2. Nou-născutul

Primele momente din viața nou-născutului sunt destul de dificile. Deseori, micuțul va purta pe chip semnele obositoarei aventuri a nașterii. Trebuie să se adapteze rapid la viața într-un mediu diferit de cel cu care se obișnuise timp de nouă luni. Trebuie să învețe să respire, să mănânce (necesități vitale), să vadă, să audă. Părinții trebuie să învețe să îl cunoască. Și nu este ușor, fiindcă emoțiile justificate, lipsa de familiaritate față de bebeluș și intervențiile presupușilor „experți" din familie complică apoi lucrurile. În realitate, nou-născutul dorește și trebuie să facă trei lucruri: să mănânce, să doarmă și să își dezmorțească puțin mâinile și picioarele (așa cum făcea în burta mamei). Așadar, devine foarte important să îl hrăniți *când vrea el, cât vrea el și de câte ori vrea el.* Trebuie lăsat să doarmă cât vrea și să i se permită să se miște cum dorește (evitând îmbrăcămintea sau scutecele strâmte).

Aspectul fizic al nou-născutului și primele mici neliniști

De ce, în general, nou-născutul este urât?

Această observație este valabilă pentru nou-născutul care a venit pe lume printr-o naștere naturală, deoarece abia a terminat o aventură dificilă, care l-a constrâns să iasă din uterul matern printr-un canal („canalul nașterii") prin care și-a făcut drum cu greu, cu capul înainte. Din această cauză, micuțul are deseori fața umflată și craniul ușor deformat.

Ce importanță are nota acordată nou-născutului?

Nota se numește *punctajul lui Apgar* și este importantă fiindcă este o evaluare care arată capacitatea nou-născutului de a se adapta la viața în afara uterului. Îi este acordată la 1 și la 5 minute de viață și se bazează pe suma evaluării a cinci parametri (frecvența cardiacă, activitatea respiratorie spontană, tonusul muscular, reacția față de stimuli, culoarea). Fiecăruia dintre acești parametri i se atribuie un punctaj de la 0 la 2. Sunt considerați normali nou-născuții cu un punctaj total egal sau superior lui 7. Totuși, notele mici nu indică întotdeauna anormalitatea sau patologia. Mulțumită extraordinarei capacități de recuperare a nou-născuților, deseori punctajele scăzute la naștere sunt înregistrate la copii care se încadrează în normal. Este însă indicat să se acorde mai multă atenție subiecților cărora li s-a atribuit un punctaj Apgar scăzut.

Este adevărat că bebelușii născuți prin cezariană sunt mai frumoși?

Da, sunt mai frumoși în primele momente, fiindcă nu trec prin greutățile pe care le presupune o naștere naturală. După patru-cinci zile, toți devin așa cum sunt în realitate și, deci, toți sunt frumoși. Puii de om, ca toți puii din lumea animală, sunt mai frumoși decât adulții.

Nu. Nou-născuții pot prezenta două tipuri de deformări ale capului: *tumefierea nașterii*, care durează 2-3 zile și care dispare spontan, și *cefalohematomul* (mai rar), ce este o acumulare de sânge sub pielea capului, care deformează capul copilului în mod evident. Umflătura cefalohematomului are o consistență dură-elastică, uneori variabilă, și dispare după 2-3 zile de viață; poate fi mono- și bilaterală și poate atinge dimensiuni considerabile, chiar un sfert din cap. Cu toată mărimea sa, cefalohematomul nu este periculos și tinde să dispară în decurs de câteva săptămâni. Chiar și în cazurile când acesta este foarte extins, persistă cel mult câteva luni, dar apoi capul devine perfect normal.

Unii nou-născuți prezintă deformații ale capului; acestea sunt periculoase?

Nu. În primele luni de viață, oasele craniului nu sunt sudate între ele, fiindcă trebuie să permită capului să se deformeze în timpul nașterii, pentru a trece mai ușor prin „canalul nașterii".

Oasele craniului sunt sudate între ele?

Suturile craniene sunt urme foarte mici între oasele craniului, care pot fi depistate mângâind capul nou-născutului și al sugarului. În partea de sus a capului se simte apreciabila fontanelă anterioară sau principală. Mai există și alte suturi, dar sunt mai greu de depistat.

Ce anume sunt suturile craniene?

În medie, aceasta măsoară 4 x 3 cm. Este acoperită de un țesut fibros, ușor coborât. Zona „moale" a fontanelei permite dezvoltarea normală a creierului copilului în primul an de viață.

Care este dimensiunea fontanelei principale?

Este periculos să atingem fontanela nou-născutului?

Nu. Fontanelele constituie o protecţie pentru copil, nu o zonă de slăbiciune, deoarece dau oaselor craniului posibilitatea de a se deforma şi, deci, de a proteja creierul de traume.

Este periculos să atingem sau să tragem de ciotul ombilical?

Nu. Uneori, în timpul tratării, este posibil ca micuţul să plângă. Dacă face acest lucru, nu este deoarece simte durere, ci datorită senzaţiei de frig cauzată de ştergerea cu apă oxigenată, alcool sau cu un alt dezinfectant.

De ce nou-născuţii pierd din greutate în primele zile?

Scăderea greutăţii imediat după naştere se manifestă la toţi nou-născuţii. *În general, este maximă în primele 24 de ore,* continuă până în a treia zi şi este variabilă. Norma prevede ca fiind tolerabilă o scădere maximă de 10% din greutatea avută la naştere. Cauzele pot fi: lipsa hranei în primele ore de viaţă, pierderea de apă prin intermediul respiraţiei, emiterea urinelor şi a meconiului (primele fecale), mumificarea cordonului ombilical. Dacă micuţul este hrănit imediat şi suficient, scăderea greutăţii este minimă şi se recuperează până în a zecea zi de viaţă.

De ce unii nou-născuţi au pielea cu un colorit galben?

În acest caz este vorba de un *icter neonatal.* Icterul este cauzat de creşterea în sânge a cantităţii unei substanţe, *bilirubina,* care atinge valori foarte ridicate; în unele cazuri, extrem de rare, poate provoca leziuni creierului copilului. Bilirubina rezultă din ruperea (distrugerea) globulelor roşii, care poate avea loc din două motive: primul este fiziologic (normal), datorită adaptării naturale a sângelui nou-născutului la viaţa din afara uterului (deseori, micuţul, în interiorul pânteculul matern, are un număr de globule roşii mai mare decât cel necesar); al doilea este patologic (anormal), datorat unei incompatibilități între sângele mamei și cel al copilului. Icterul fiziologic se manifestă cam în a treia zi de viață, cel patologic mai devreme, în prima sau a doua zi de viață. Acesta din urmă necesită o atenție majoră, dar este foarte rar, mai ales acum, când părinții sunt supuși unor multiple controale prenatale. În fiecare caz, în centrele de naștere cu asistență medicală adecvată, icterul – patologic sau fiziologic – nu mai reprezintă un pericol, ci doar o mică problemă. Cel mult, copiii vor fi așezați, timp de câteva ore, sub lămpi care emit raze luminoase normale, favorizând astfel eliminarea rapidă a excesului de bilirubină.

Clavicula este un os care, datorită poziției sale, este supus, destul de des, fracturării, îndeosebi în timpul nașterii naturale și dacă au existat unele dificultăți. Se poate întâmpla ca, pentru a ajuta nașterea, copilul să fie tras de un braț, cauzând astfel fracturarea claviculei. Mai mult, mama nu își dă seama de acest fapt. Bebelușii nu manifestă semne de suferință, uneori își mișcă brațul lovit puțin mai încet și cu o oarecare dificultate. Dacă își dă seama de acest lucru, mama trebuie să fie atentă atunci când îl îmbracă, dar nimic mai mult. Fractura claviculei se vindecă spontan, nu are nevoie de nicio terapie (poate cel mult de folosirea acelor plasturi care se aplică pentru a accelera vindecarea, care se realizează repede, fără alte intervenții).

De ce unii nou-născuți prezintă o fractură a claviculei? Este periculoasă?

Apariția unei pierderi de sânge sau a unei substanțe alburii (*fluor vaginal*) la fetițe, a unei umflături a testiculelor și a unei acumulări de lichid în scrot, la băieței, umflarea glandelor genitale și mamare sunt

Ce se înțelege prin „criză genitală" la nou-născut?

fenomene definite drept „crize genitale" ale nou-născutului. În general, apar în primele zile de viaţă şi persistă un timp, rezolvându-se spontan până în a doua sau cel mult a treia săptămână. Sunt legate de prezenţa, la nou-născut, a hormonilor materni care au trecut prin placentă. Acestea sunt fenomene normale, deşi continuă să ne surprindă, dar nu necesită niciun tip de intervenţie medicală. Totuşi, este necesar să fac o recomandare importantă: nu apăsaţi niciodată sânii umflaţi ai bebeluşului pentru a face lichidul să iasă! Este o manevră destul de dureroasă şi poate crea probleme serioase micuţului.

Nou-născuţii îşi pierd primul păr?

Da. Părul nou-născutului este un puf şi, în general, e destul de rar (totuşi, se pot naşte şi copii care sunt adevăraţi „pletoşi"). În orice caz, părul prezent la naştere are tendinţa de a cădea după puţin timp şi este înlocuit de un altul, mai puţin moale.

Trebuie să ne preocupe petele roşii sau albăstrui pe care le au unii copii la naştere?

Nu. Copiii cu pielea deschisă la culoare prezintă deseori unele pete roşii în mijlocul frunţii sau la rădăcina părului, pe ceafă sau pe partea superioară a spatelui. La alţi copii, îndeosebi la cei cu o culoare a pielii mai închisă, este posibilă existenţa unor pete albăstrui (situate mai degrabă pe partea inferioară a spatelui), care sunt numite „pete mongolice", dar care nu au nicio legătură cu mongolismul. Atât petele roşii, cât şi cele albăstrui dispar: petele roşii în termen de până la un an, cele albăstrui ceva mai încet.

MIȘCĂRILE ȘI REFLEXELE NOU-NĂSCUTULUI

Nou-născuții, mai ales când sunt dezbrăcați, fără hăinuțe care să îi împiedice să se miște liber, sunt foarte vioi. În timpul controlului, medicul pediatru îi face să execute anumite mișcări, provocând o serie de reacții spontane care poartă numele de *reflexe arhaice* și care îi permit să evalueze funcționarea sistemului nervos al micuțului.

Da, chiar dacă acestea se manifestă diferit de la un bebeluș la altul. De fapt, nu întotdeauna, nici chiar la nou-născutul normal, nu poate fi evocată perfecțiunea acestora. Cu alte cuvinte, copilul nu manifestă întotdeauna toate reflexele. De exemplu, dacă micuțul a mâncat mult și doarme adânc, deseori nu manifestă aceste reflexe, sau le manifestă parțial.

Toți nou-născuții au reflexe arhaice?

În marea majoritate a cazurilor, reflexele arhaice tind să devină tot mai puțin evidente după cea de-a treia lună de viață, pentru ca apoi să dispară total înainte ca bebelușul să împlinească patru luni.

Când dispar reflexele arhaice?

Reflexul Moro, numit și reflexul îmbrățișării, se manifestă în momentul în care capul nou-născutului cade spre spate. Copilul își deschide brațele și apoi și le apropie de trup, ca într-o îmbrățișare. Degetele mânuțelor se îndepărtează ca un evantai și copilul deschide larg ochii.

Ce anume este reflexul Moro?

Da. Dacă i se atinge ușor obrazul, își răsucește capul spre direcția de unde primește stimulul. Acest reflex este numit *rooting reflex*. Este suficient ca mama să își pună sânul pe obrazul nou-născutului.

Este adevărat că nou-născutul știe să caute sânul mamei?

Este adevărat că unii nou-născuți merg?

Nu. În schimb, este adevărat că unii nou-născuți, cei mai vioi, prezintă un reflex numit *reflexul mersului automat*. Micuțul are tendința de a face pași nesiguri, cu genunchii îndoiți și cu capul ridicat, dacă îl susțineți la nivelul trunchiului, în poziție verticală și împingându-i ușor corpul spre înainte.

MICI PROBLEME CARE NECESITĂ INTERVENȚIA MEDICULUI

Uneori, nou-născutul prezintă unele anomalii care nu împiedică creșterea, dar care, atunci când sunt trecute cu vederea, pot compromite calitatea vieții acestuia.

Ce sunt angioamele?

Angioamele rezultă din dilatarea sau dezvoltarea anormală a capilarelor și a vaselor sangvine. Există două tipuri principale: *angioame plane* și *în relief*. Angioamele plane sunt cauzate de dilatarea capilarelor și se prezintă sub formă de pete de culoare roșie ca vinul până la roz și care tind să dispară când sunt apăsate cu degetul. În schimb, cele în relief sunt mai mult sau mai puțin proeminente, cu suprafață uniformă sau neregulată, de mărime variabilă, culoare roșie ca vinul sau roșu violaceu, consistență delicată sau moale, mai mult sau mai puțin adâncite în dermă.

Ce anume trebuie făcut în cazul unui angiom?

Pentru angioamele plane, soluția este foarte simplă, deoarece sunt mai puțin urâte și dispar până la un an. Angiomul în relief, în schimb, are tendința de a crește în volum în primele 5-6 luni, apoi cunoaște o fază de staționare, iar în decurs de 2-4 ani se îndreaptă spre regresie completă. Cel mai bun tratament este așteptarea; din câte se observă deseori, intervențiile pot chiar să înrăutățească rezultatul final.

Totuși, nu întotdeauna părinții sunt dispuși să aștepte și preferă să consulte mai mulți medici, până îl întâlnesc pe cel care este dispus să intervină. Totuși, această decizie se poate dovedi greșită. În cazul unui angiom în relief, trebuie să vă adresați întotdeauna unui centru de înaltă calificare, mai ales dacă angiomul se află în zone delicate, ca de pildă pe față.

Da. *Înțepenirea gâtului copilului* se datorează unei leziuni a unui mușchi al gâtului (*sternocleidomastoidian*) care nu se dezvoltă în mod corect și deci, neputându-se întinde complet, „trage" capul într-o parte. În urma unor nașteri extrem de dificile, se poate forma un mic hematom care, cu trecerea lunilor, îi poate cauza micuțului o dezvoltare incompletă a mușchiului, sau, mai bine zis, o tragere înapoi a acestuia. Hematomul apare cam în a zecea zi de viață, adică după ce copilul a fost scos din maternitate și, deci, boala nu mai este sub controlul medicului. Este neapărat necesar ca mama sau medicul, începând din ziua a zecea, să identifice, prin palparea gâtului, o astfel de leziune, care se prezintă, de-a lungul mușchiului, sub forma unei alunițe de consistență dură-elastică și de mărimea unei nuci mici.

O naștere dificilă poate cauza înțepenirea gâtului copilului?

Este necesar să vă adresați un medic ortoped, care va aplica micuțului un guler (care nu îl irită), pe care să îl poarte timp de câteva luni, până la soluționarea problemei.

Ce anume trebuie făcut dacă se descoperă hematomul?

Da. În acest caz este vorba de *criptorchidism*, care se manifestă la 3-4% din nou-născuții la termen și la 30% din nou-născuții prematuri. Dacă testiculul rămâne mult timp în afara scrotului, mai precis în

Este adevărat că la naștere, la unii băieți, testiculele nu sunt încă lăsate?

abdomen, stă la o temperatură mai ridicată şi, cu tre-cerea timpului, se poate atrofia, ceea ce duce la înce-tarea funcţionării acestuia.

Cum se intervine în aces-te cazuri?

Este necesar să vă adresaţi imediat unui medic, pen-tru a stabili o strategie terapeutică. Problema este aceea de a coborî testiculul în locul său natural cât mai repede cu putinţă. Mai întâi (până la împlinirea primului an de viaţă) se încearcă o terapie cu hor-moni şi, dacă aceasta nu funcţionează, trebuie să se recurgă, fără întârziere, la intervenţia chirurgicală, apelându-se la un chirurg sau la un urolog. Interven-ţia chirurgicală este destul de simplă (ca la o hernie), nu este periculoasă, dar trebuie efectuată de către un specialist. Succesul operaţiei este întotdeauna sigur, iar testiculul este readus şi ancorat în scrot.

Ce este fimoza?

Prin *fimoză* se înţelege imposibilitatea de descope-rire completă a glandului (partea anterioară a peni-sului), datorită abundenţei ţesutului prepuţului care îl acoperă şi care, restrângându-se, îl închide. Acesta este motivul pentru care se spune că bebeluşul cu fi-moză are „urinarea închisă". Această situaţie, foarte normală la naştere, trebuie remediată ulterior. Glan-dul trebuie să se poată descoperi din două motive: unul igienic, legat de imposibilitatea de a spăla acea zonă; celălalt vizează viitoarea funcţie sexuală, legată de dificultatea alunecării prepuţului.

Ce trebuie făcut în cazul fimozei?

Unele religii şi tradiţii prevăd circumciderea în pe-rioada neonatală, operaţiune care constă în tăierea şi extirparea părţii terminale a prepuţului, permiţând glandului să rămână mereu descoperit. Circumci-derea nou-născuţilor continuă să fie o problemă controversată, nu peste tot practicându-se acest lucru. Medicii pediatri mai atenți și mai pregătiți sunt în măsură să realizeze acest obiectiv, și anume descoperirea organului prin manevre simple și delicate, după aplicarea în prealabil a unei creme. Aceste manevre – sunt necesare maxim patru – trebuie inițiate foarte din timp (la 3-4 luni de viață) și permit realizarea completă a descoperirii glandului, care va trebui să fie practicată zilnic de către părinți (spălând cu apă și săpun) și apoi, când va fi mai măricel, chiar de către copil.

Mulți nou-născuți și sugari prezintă pete alburii în gură. Despre ce este vorba?

Este vorba de *erupția mucoasei gurii*, o infecție cauzată de o ciupercă ce poartă numele de *Candida albicans*. În mod normal se localizează în gură dar, în cazuri mai grave, se poate răspândi în tot corpul. Contaminarea gurii copilului se produce în momentul trecerii prin canalul de naștere (dacă este afectat de erupție), prin intermediul biberoanelor sau al mâinilor contaminate. Cel mai frecvent se manifestă în primele zile sau în primele 2-3 luni de viață.

Cum se prezintă erupția?

Este caracterizată de apariția unor mici pete alburii pe limbă, pe palat și în interiorul obrajilor, care, inițial, pot fi confundate cu laptele coagulat. Dacă nu se intervine, punctele albe tind să se unească între ele și să formeze o albeață continuă. Această albeață, situată pe părțile interioare ale obrajilor și pe limbă, poate fi deranjantă și creează dificultăți în timpul suptului.

Cum se vindecă erupția?

Mai întâi, este necesar să curățați gura, cu ajutorul unei feșe sterile înfășurată în jurul degetului și înmuiată într-o soluție de apă și bicarbonat (o lingură de bicarbonat la un litru de apă fiartă şi răcită). Dacă nu sunt semne de ameliorare, înmuiaţi faşa într-o cantitate mare de medicament antimicotic. Nu vă fie teamă că micuţul îl va înghiţi, nu este periculos, din contra, ingerarea acestuia favorizează vindecarea ulterioară. Fiţi extrem de delicaţi în efectuarea acestei operaţiuni, pentru a evita sângerarea sau răspândirea ciupercii în organism.

Unii copii se nasc cu frenulumul lingual şi/sau labial scurt. Ce trebuie făcut?

Frenulumul lingual scurt poate limita mişcările limbii dar, de obicei, nu cauzează probleme deosebite. Copilul poate suge normal, gângureşte, creşte bine. Totuşi, în rarele cazuri când *frenulumul* este cu adevărat scurt, aceasta poate constitui o problemă, provocând anomalii în formarea palatului, a mandibulei şi în articularea cuvintelor. De aceea, *frenulumul* foarte scurt, caz de altfel foarte rar, trebuie tăiat imediat, de regulă până la vârsta de un an. *Frenulumul labial* poate fi, în primele luni de viaţă, destul de scurt şi voluminos, dar, cu trecerea timpului, devine mai lung şi mai subţire. Uneori, însă, rămâne scurt. În jurul vârstei de 6-7 ani, un frenulum prea gros poate cauza probleme copilului, deoarece împiedică ieşirea incisivilor superiori sau duce la încălecarea acestora. Se formează astfel aşa-zisa strungăreaţă, adică spaţiul caracteristic dintre incisivi, care compromite mult estetica feţei copilului. Deci, este necesar ca la 6-7 ani să recurgeţi la o incizie a *frenulumului*.

3. Alăptarea

Perioada de alăptare este, pentru micuţ, o perioadă de importanţă fundamentală, atât din punct de vedere fizic, cât şi din punct de vedere psihologic. Nu uitaţi că bebeluşul „mănâncă pentru a trăi", deci trebuie hrănit fără un control riguros al programului şi a cantităţii de hrană. Puneţi-l la sân şi lăsaţi-l să se desprindă singur când este sătul, lăsându-i libertatea de a alege el orele de supt: micuţul are dreptul de a mânca atunci când vrea, aşa cum făcea când era în burta mamei. *Dacă mănâncă, doarme, creşte bine şi îşi face nevoile în mod regulat* înseamnă că laptele matern îi furnizează tot ce îi trebuie. Acelaşi lucru este valabil şi pentru alăptatul artificial. Dacă micuţul este alăptat artificial, pregătiţi întotdeauna un biberon plin (trebuie să îi daţi un plus de lapte după ce a terminat de supt): *dacă mănâncă, doarme, creşte şi îşi face nevoile în mod regulat*, laptele artificial este perfect. Credeţi-mă, nu simplific lucrurile, vorbesc despre nou-născuţi normali (aceştia sunt peste 99%) care, dacă le lăsaţi libertatea de a alege, aleg normalitatea şi seninătatea (sunt mult mai şmecheri decât credem noi, adulţii). Dacă, în schimb, sunt constrânşi să facă lucruri care nu le plac, se răzbună, în mod justificat, nedormind noaptea şi plângând întruna.

Cum se pregătește alăptarea?

Pentru a pregăti o alimentare corectă a copilului este necesar să stabiliți, în timpul primelor 10-12 zile din viața lui, o scurtă „perioadă de observare" cu privire la comportamentul său alimentar. Acest lucru este indicat pentru a pune bazele și a defini parametrii fundamentali a ceea ce va reprezenta schema alimentară a sugarului: se va decide dacă bebelușul va fi alăptat cu lapte matern sau dacă va trebui să se recurgă la laptele din biberon; se va putea evalua dacă micuțul este un mâncăcios sau dacă are apetitul scăzut; dacă preferă mese mici și frecvente sau mai degrabă mesele abundente și mai rare. În timpul acestei perioade de observare, cerem copilului să ne sugereze cum dorește să fie hrănit, evitând impunerile inutile din partea adulților.

PERIOADA DE OBSERVARE

Cum se abordează perioada de observare?

Trebuie să se rezolve unele probleme fundamentale, valabile atât în cazul alăptării materne, cât și al celei artificiale: câte mese pe zi sunt necesare copilului? La ce ore? Ce interval trebuie să existe între o masă și alta? Cât trebuie să mănânce micuțul la fiecare masă? Răspunsul la aceste întrebări este unul singur: *copilul face ce vrea el!* Asta nu înseamnă că totul se va transforma într-o mare confuzie, deși părinții se tem de acest lucru. Hrănirea copilului se va încadra într-o schemă organizată, permițând mamei și tatălui să trăiască mai liniștiți și mai puțin stresați. Nu va domina haosul, deoarece copilul va fi cel care va sugera ce tip de aliment dorește.

Nu este atât de dificil să înțelegeți de ce, în realitate, pentru a-l ajuta pe micuțul dumneavoastră să crească, nu trebuie să urmați decât o singură regulă, naturală și fundamentală: trebuie să i se lase micuțului libertatea propriilor alegeri cu privire la viața sa, deoarece aceste alegeri sunt dictate de instinctul natural. El știe cum să își satisfacă nevoile reale și știe cum să își creeze cele mai bune condiții pentru propria creștere și pentru propria dezvoltare.

Cum poate un nou-născut să sugereze ce alimentație dorește?

Atâtea câte vrea nou-născutul. În general, copiii care au la naștere o greutate medie (3 300 – 3 600 g) cer 6 mese pe zi. Cei cu o greutate inferioară (sub 2 800 g) pot dori 7 sau chiar 8 mese pe zi. Copiii mai grași și viguroși se mulțumesc cu 5 mese abundente. Deci, alegerea trebuie făcută de către copil și nicidecum impusă de către mame sau medici pediatri. Cele 5, 6, 7 sau chiar 8 mese pe zi sunt bune, atât timp cât alegerea este făcută de către copil. Numărul meselor depinde de energia micuțului, de atitudinea naturală a acestuia de a mânca puțin și des sau, din contra, o cantitate mai mare și cu mese mai rare, dar și în funcție de disponibilitatea hranei. De exemplu, în cazul alăptării la sân, dacă mama produce de fiecare dată puțin lapte, în mod inevitabil copilul va dori să mănânce mai des.

Câte mese sunt necesare pe zi?

Copilul va fi cel care va face alegerea: micuțul va mânca numai când va simți că are nevoie. Propunerea fundamentală este: dacă doarme, lăsați-l să doarmă, dacă se trezește, dați-i să mănânce. Urmând această regulă, masa de dimineață va fi stabilită de ora la care se trezește el. În primele zile, acest lucru se va întâmpla, în mod inevitabil, la miezul nopții, apoi, treptat, cu trecerea timpului, copilul va avea tendința

Cum se stabilesc orele?

de a dormi mai mult şi, în mod firesc, se va trezi mai târziu (contrar părerii adulţilor, şi organismul copilului îşi încetineşte funcţiile în timpul nopţii!).

Ce interval de timp trebuie să treacă între o masă și alta?

Şi intervalul de timp ce se scurge între o masă şi alta va fi ales de către copil. Părinţii vor avea doar sarcina de a avea grijă ca aceste intervale să nu fie prea scurte sau prea lungi. În general, pentru un copil fără probleme deosebite, intervalul între o masă şi alta trebuie să fie de minimum 2 ore şi jumătate şi de maximum 4 ore. Totuşi, să nu fiţi extrem de riguroşi. Dacă, de exemplu, trec 4 ore, copilul doarme liniştit şi, mai ales, dacă masa anterioară a fost deosebit de abundentă, intervalul poate fi chiar mai mare de 4 ore.

Există un interval minim care trebuie respectat?

Nu neapărat. În chiar primele zile de viaţă, unii copii, mai ales dacă sunt alăptaţi la sân, doresc să mănânce la intervale foarte scurte (chiar la interval de o oră, o oră şi jumătate). Nu vă alarmaţi: este necesar să urmaţi dorinţele micuţilor, dar, totuşi, informaţi-l pe medic cu privire la acest comportament, iar el va avea sarcina de a evalua normalitatea situaţiei. Dacă acest comportament se manifestă în cazul alăptării la sân, ar putea fi un semnal că producţia de lapte matern este scăzută.

Copilul trebuie să mănânce în fiecare zi la aceleași ore?

Nu. Nu este absolut obligatoriu ca micuţul să se hrănească în fiecare zi la aceleaşi ore. Depinde de ora primei mese. Totuşi, în decurs de o săptămână, sau puţin mai mult, dacă bebeluşului i se lasă libertatea de a alege, acesta va adopta un ritm regulat şi va începe să mănânce, întotdeauna, cu o punctualitate excelentă, la aceleaşi ore.

Da, în ceea ce priveşte alăptarea artificială, orele de supt se dovedesc a fi mai regulate; de fapt, mama, în general, prepară în biberon aceeaşi cantitate de lapte, în timp ce cantitatea de lapte produsă de sân este uneori variabilă.

Copilul este mai punctual dacă este hrănit artificial?

Copilul mănâncă atât cât vrea. Şi acest răspuns îi poate nedumeri pe părinţi (poate este cel care îi nedumereşte cel mai mult), deoarece există teama de a nu-l hrăni prea mult pe micuţ. Teamă nejustificată, deoarece „mâncatul" (ar fi mai corect să spunem „hrănirea") este, pentru copil, o necesitate naturală şi primară: el ştie foarte bine că dacă nu mănânci, mori, şi, mai ales, ştie de cât „carburant" are nevoie. Aceasta este faza cea mai importantă în pregătirea alimentaţiei micuţului, deoarece, dacă numărul de mese şi orele sunt importante din punct de vedere al satisfacerii ritmului nevoilor acestuia – şi, dacă dorim, a organizării zilnice –, cantitatea de aliment devine importantă pentru creşterea acestuia şi, dramatizând, pentru supravieţuirea sa.

Cât trebuie să mănânce la fiecare masă?

Întotdeauna. De aceea va fi util să ţineţi un *jurnal zilnic* al alimentaţiei micuţului. Se poate dovedi un fapt plictisitor şi, uneori, complicat, mai ales pentru o nouă mămică ce soseşte acasă şi trebuie să se ocupe de atâtea lucruri, dar, cu ajutorul tăticului, acest lucru este realizabil. De fapt, în decurs de numai câteva zile, acest lucru permite soluţionarea, în mod definitiv şi fără dubii, a importantei chestiuni cu privire la alimentaţia nou-născutului. În cazul în care laptele matern este abundent încă din primele zile, ar trebui să tergiversaţi puţin lucrurile, chiar dacă realitatea este un motiv de orgoliu pentru mama care, astfel, îşi pune în evidenţă capacitatea de a-şi hrăni copilul.

Acest comportament funcţionează?

Perioada de observare funcționează și dacă alăptarea artificială este sigură?

În mod cert, răspunsul este afirmativ. Sunt foarte rare cazurile în care alăptarea artificială a fost o decizie luată în momentul nașterii micuțului, dar această decizie se ia tocmai datorită acestei „perioade de observare" care este posibil să demonstreze, în mod cert și fără echivoc, imposibilitatea mamei de a alăpta la sân.

CUM INTRĂM ÎN RITMUL CORECT

Cum ne dăm seama că este ora pentru supt?

Nu este dificil. Copilul, care dormea senin și liniștit, începe să se miște, scoate sunete slabe, uneori chiar și sunete ca și cum ar suge. Dacă nimeni nu-l bagă în seamă, începe să scoată un scâncet scurt și înăbușit care, în cele din urmă, devine de-a dreptul plânset, în cazul în care continuă să fie ignorat. Nu așteptați ca răbdarea lui să se epuizeze, puneți-l la sân!

Cât trebuie ținut bebelușul la sân?

Regulile stricte ar stabili câte 10 minute pentru fiecare sân, în timp ce regulile naturale și bunul-simț spun, pur și simplu, să schimbați sânul atunci când copilul își încetinește ritmul de supt. Acest lucru se poate întâmpla, mai ales la început, înainte de 10 minute, alteori după 10 minute.

Cum putem afla dacă a supt suficient lapte?

Dacă, după ce a supt, copilul este sătul, adoarme fericit. Nu trebuie decât să îl așezați în leagăn pentru a se odihni; este singurul lucru de care micuțul are nevoie.

Și dacă nu adoarme?

Dacă, după ce a supt, nu adoarme sau dacă după câteva minute începe să scâncească, este necesar să îi dați un adaos de lapte din biberon. Dacă îi este foame în continuare, va mânca până se va simți sătul; dacă, din contra, refuză laptele, înseamnă că neliniștea lui nu este cauzată de foame. În acest caz, consultați medicul pediatru.

De obicei, copilul goleşte sânul în primele 5 minute de supt, deci, dacă nu a supt suficient, se poate presupune că nu a mai fost lapte în sânul mamei. Totuşi, nu fiţi prea rigide cu privire la această regulă. Dacă, reaşezat la sân, micuţul reuşeşte să mai sugă încă 30 sau chiar de 40 de grame de lapte, sau dacă după ce a supt, a adormit liniştit, aţi făcut bine că l-aţi pus din nou la sân.

De ce, dacă bebeluşul nu este mulţumit, nu poate fi pus din nou la sân?

Când cere copilul: timpul dintre mese poate varia între minimum 2 ore şi jumătate la maximum 4 ore. Fac excepţie primele 10-12 zile, perioadă în care, uneori, copilul poate să ceară să fie hrănit după o oră, o oră şi jumătate. Comunicaţi acest comportament medicului pediatru.

La ce oră trebuie să primească următoarea masă?

După „perioada de observare" se pot contura trei situaţii diferite: copilul este satisfăcut de cantitatea de lapte pe care o primeşte de la mamă şi nu mai are nevoie de adaosuri (*alăptare exclusiv la sân*); copilul are nevoie de adaosuri la laptele matern (*alăptare mixtă*); mama nu are lapte, sau are puţin şi nu reuşeşte să satisfacă necesarul alimentar al micuţului (*alăptare artificială*).

Cum trebuie continuată alimentaţia când s-a încheiat perioada de observare?

Da. Dar nu face miracole. Dacă, după „perioada de observare", laptele matern nu s-a produs, în ciuda tuturor celor care susţin cu exasperare suptul la sân, acesta nici nu se va produce.

Suptul stimulează producerea de lapte matern?

Nu. Laptele matern este, desigur, cel mai bun aliment pentru copil şi, deci, ar fi ideal ca fiecare mamă şi îşi poată alăpta micuţul. Totuşi, uneori se întâmplă ca unele femei, din diferite motive (nu produc

Alăptarea copilului la sân este fundamentală?

lapte, au dificultăţi fizice sau probleme de sănătate), să nu fie în măsură să alăpteze. În aceste cazuri, chiar dacă în general se desfăşoară o intensă campanie în favoarea alăptării la sân, se poate afirma că o mamă şi-a îndeplinit datoria atunci când a făcut tot ceea ce i-a stat în putere pentru a încerca să îşi alăpteze copilul în mod natural. Dacă nu a reuşit să o facă, nu trebuie să se simtă ca o mamă de „mâna a doua", deoarece posibilitatea de a alăpta, exceptând cazurile cu probleme deosebite, nu are legătură cu buna sau reaua voinţă a mamelor, ci cu factori naturali. Calitatea unei mame nu se măsoară, în mod cert, în litrii de lapte pe care îi furnizează copilului său, ci după dragostea pe care i-o dăruieşte!

Optând pentru laptele artificial, se compromite creşterea micuţului?

În niciun caz! Copiii cresc la fel de bine şi dacă sunt hrăniţi cu lapte artificial. În prezent, toate mărcile de lapte artificial sunt absolut complete din punct de vedere nutriţional şi, deci, permit copiilor să crească frumoşi şi sănătoşi.

În cazul alăptării la sân, trebuie efectuată dubla cântărire după fiecare masă?

În primele zile de viaţă, poate fi deosebit de util să recurgeţi la „dubla cântărire" pentru a controla cantitatea de lapte matern pe care o consumă copilul, organizând astfel, în mod adecvat şi definitiv, alimentaţia acestuia. Totuşi, nu toţi medicii pediatri dau acest sfat, mai ales pentru a nu obliga mamele să adopte o activitate în plus, în scopul de a elimina o ulterioară problemă psihologică. Şi au dreptate, deoarece „bunătatea" laptelui matern se deduce, în mod exclusiv, din comportamentul copilului. Dacă mănâncă, doarme şi creşte, în mod sigur nu este necesară cântărirea dublă.

În ultimii ani a fost întreprinsă o campanie lăudabilă, care se bucură de susținere din partea unor organizații internaționale ca OMS și UNICEF, pentru promovarea alăptării la sân. Totuși, uneori, această inițiativă devine condusă de un exces de severitate, care poate induce comportamente greșite, chiar neproductive. Nou-născuți lăsați înfometați la creșă, mame care, acasă, sunt constrânse să alăpteze, deși nu au lapte, iată câteva dintre consecințele negative ale aplicării acestei „cruciade" fără discernământ. Deseori, mamele, disperate, ajung la informații care se dovedesc, în final, a fi eronate. Nu luați în seamă afirmații ca de pildă: dacă bebelușii nu primesc lapte matern, nu au anticorpi, sau că pot contacta forme grave de alergie. Este păcat că o inițiativă ce se bucură de o atât de mare importanță medicală, culturală și socială are aplicații practice disperate, care o fac să fie prea puțin utilă. Nu se renunță la alăptarea la sân în țările cu un nivel economico-social și, mai ales, igienico-sanitar scăzut. Alăptarea la sân este un fapt care, din punct de vedere psihologic, dă satisfacție mamei; este, în mod sigur, optimă pentru copil, dar nu este o cerință absolut indispensabilă pentru sănătatea lui.

Care este valoarea adăugată a laptelui matern?

Laptele matern prezintă multe avantaje: este cel mai bun aliment pentru copil, deci este mai greu ca micuții să primească substanțe care provoacă alergii; este disponibil în orice moment; furnizează anticorpi (care nu intră în sângele copilului, dar care se depozitează pe pereții intestinului și îl protejează de infecții intestinale, element fundamental în țările cu nivel igienico-sanitar scăzut). Dezavantajele, în schimb, sunt minore: programul de masă este mai neregulat; pot să apară mai multe dificultăți în

Care sunt avantajele și dezavantajele laptelui matern?

perioada de trecere la înțărcare după o alăptare în-
delungată, fapt care presupune necesitatea de a ad-
ministra suplimente cu fier.

Dacă nu se poate alăpta la sân, care lapte artificial trebuie folosit?

Toate tipurile de lapte artificial (praf și lichid) sunt
derivate din laptele de vacă (cu excepția unor tipuri
speciale de lapte, administrate copiilor cu boli de-
osebite, din fericire foarte rare). În general, alegerea
tipului de lapte artificial este făcută de către perso-
nalul din maternitate sau de către medicul pediatru.
În orice caz, este important să cunoașteți, chiar și în
linii mari, caracteristicile diferitelor tipuri de lapte
din comerț. De mulți ani, Societatea Europeană de
Gastroenterologie și Nutriție Pediatrică a stabilit va-
lorile minime și cele maxime ale diverselor elemente
conținute de laptele artificial adecvat pentru copil.
În plus, toate firmele producătoare s-au adaptat în
acest sens. În prezent, toate tipurile de lapte artificial
sunt de calitate optimă, inclusiv cele cu preț scăzut,
și înlocuiesc foarte bine laptele matern. Compoziția
de bază, caracteristică fundamentală, este aceeași
pentru toate. Diferențele între un tip de lapte și un
altul sunt, în cea mai mare parte a cazurilor, minime,
vizează numai partea comercială a produsului și au
prea puțin legătură cu sănătatea copilului.

Ce este util să știm despre tipurile de lapte artificial?

În ciuda diverselor denumiri comerciale, tipurile de
lapte artificial prezintă, mai mult sau mai puțin,
aceeași compoziție de bază. Diferența este dată de
unele caracteristici. Pentru a mă face mai ușor înțeles,
folosesc o comparație din domeniul automobilistic:
diferitele mărci de automobile moderne au aceleași
caracteristici comune, dictate de tehnologie și de nor-
mele de siguranță, dar se diferențiază prin mici

trăsături particulare (accesoriile). Același lucru se întâmplă și în cazul tipurilor de lapte artificial: tipurile de lapte praf și cele sub formă lichidă au modalități de conservare diferite, dar prezintă aceeași „dotare" de bază. Toate se obțin din laptele de vacă, deci au proteinele, grăsimile și carbohidrații laptelui de vacă, recombinate, conform normelor Comunității Europene, în diverse cantități, pentru a-i da o compoziție cât mai asemănătoare celei a laptelui matern. Singurele tipuri de lapte cu adevărat diferite sunt cele din soia, care nu se obțin din laptele de vacă, ci din soia, precum și unele tipuri „speciale" de lapte artificial create pentru copiii afectați de boli extrem de rare. Nu aveți încredere în cei care vă sfătuiesc să schimbați laptele cu unul de altă marcă (dar „special"), oferindu-vă motive ca de pildă o digerare mai bună, evitarea intoleranței și a alergiilor; în realitate, vă recomandă un lapte similar, cu nume diferit!

Există tipuri de lapte artificial la preț scăzut?

Da, și, în mod impropriu, este numit „lapte de farmacie". Sunt tipuri de lapte care respectă normele Comunității Europene. Tot pentru a face o comparație cu automobilele (vezi întrebarea precedentă), este ca și cum ați cumpăra un model de bază. Cu modelul de bază se ating aceleași scopuri, cu un preț mai mic, dar cu cele dotate cu mai multe accesorii, totul este, probabil, mai comod.

Așadar, ce lapte să alegem?

În primele 3-4 luni de viață va trebui, dacă aveți posibilitatea, să cumpărați un lapte artificial cu „accesorii". Apoi, dacă totul merge bine, veți putea cumpăra, fără nicio problemă, un „model bază".

Cum se prepară laptele artificial?

Se fierbe apa de la robinet; în caz că folosiți apă minerală, este de ajuns să o încălziți (chiar dacă cercetările recente publicate în SUA ne sfătuiesc ca și apa minerală să fie fiartă); se lasă să se răcească până la o temperatură acceptabilă, apoi se toarnă în biberon până la nivelul dorit și se adaugă măsurile de lapte necesare. Lingurița pentru măsurare trebuie să fie rasă (eliminați pulberea în exces cu ajutorul unui cuțit sau al unei spatule). Cele mai folosite tipuri de lapte din comerț au diluări standard, adică 30 g de apă la fiecare măsură (totuși, este mai bine întotdeauna să respectați indicațiile trecute pe cutie). Este mai bine să preparați laptele la fiecare masă: nu este indicat să pregătiți mai multe mese care să se consume treptat. Dacă nu aveți timp, este mai bine să folosiți tipurile de lapte lichid, mult mai simple și care se prepară mai rapid: este suficient să le încălziți. Unele mame administrează laptele mai degrabă la temperatura camerei.

Ce anume se înțelege prin alăptare mixtă?

Când o mamă nu reușește să satisfacă necesarul de lapte al copilului prin alăptarea la sân și recurge la completarea cu lapte artificial, este vorba de *alăptarea mixtă*. De obicei, mama își dă singură seama dacă micuțul este mulțumit de laptele ei: nu doarme după ce suge, plânge sau chiar stă cuminte, dar după numai o jumătate de oră începe să plângă și vrea să mănânce din nou, iar mama simte că sânul ei este mai puțin umflat. În astfel de cazuri, este necesar să pună copilul la sân și, după un supt de circa 20 minute, să îi ofere un biberon cu lapte artificial. Dacă plânsul sau agitația erau cauzate de foame, copilul va suge și apoi se va calma.

Copilul va fi cel care îl va stabili. La primele mese va fi necesar să adăugați 30 ml de apă la o măsură de lapte praf. Dacă micuțul mănâncă tot, va trebui ca la mesele ulterioare să preparați o cantitate mai mare. Copilul trebuie să avanseze câte puțin: în acest fel puteți fi siguri că va mânca atât cât îi trebuie.

Cât de mare trebuie să fie suplimentul?

Nu este o regulă stabilită. Copilul va fi cel care vă va sugera, întotdeauna, ce anume să faceți: dacă, după ce a terminat suptul la sân, se arată mulțumit, nu va fi necesar să mai adăugați lapte artificial.

Suplimentul se dă la fie-care masă?

Da. Sunt foarte rare cazurile în care se dovedește a fi altfel, adică de la alăptatul artificial să se revină la cel la sân. Acest lucru se poate întâmpla numai în cazul bolilor materne acute și pentru perioade foarte scurte. Trecerea la alăptatul artificial exclusiv este de-cisă, de obicei, de către mamă (care cere, totuși, și sfatul medicului pediatru), dar, în realitate, copilul este cel care sugerează acest lucru și, în cele din urmă, decide în acest sens. Când mama simte că sânul este, aproape întotdeauna, gol și este obligată nu numai să îi dea adaosuri abundente, ci chiar mese complete cu lapte artificial, trebuie luată în considerare even-tualitatea trecerii la o alăptare artificială completă. O regulă pe care v-o sugerez poate fi următoarea: când numărul de mese cu lapte artificial este superior celui al meselor cu lapte matern (de exemplu, 3 mese din 5) și chiar și celelalte cer folosirea de suplimente, acesta este, în mod sigur, momentul bun! De fapt, când mama ajunge în astfel de situații, trăiește mo-mente de incertitudine și neliniște. Deseori, copilul plânge, este iritat și nemulțumit, fapt care dă mamei un sentiment de frustrare, care o face să fie nervoasă

Alăptarea mixtă va deveni, în scurt timp, o alăptare artificială?

şi depresivă. Abandonarea ultimelor momente de alăptare la sân vine ca o eliberare, deoarece, pe neaşteptate, totul se linişteşte, copilul se calmează, mănâncă la ore regulate, îşi reia somnul liniştit. Aceasta şi este realitatea, spre liniştea medicilor pediatri care sunt teoreticieni fervenţi ai alăptatului la sân. Şi mama se relaxează. Iar o mamă relaxată va fi, pentru copil, o mamă mai bună decât una nevrotică, chiar dacă nu îi mai oferă laptele ei!

Sugarul trebuie să respecte, în mod riguros, orele de masă, sau poate mânca atunci când vrea?

Trebuie să mănânce în funcţie de nevoile lui, deci nu conform unui orar rigid impus de către medicul pediatru sau de către mamă. Trebuie să mănânce când vrea şi cât are nevoie! Atât din punct de vedere fizic, cât şi din cel psihologic, este o mare greşeală să nu îl hrăniţi atunci când el cere. Când era în pântecele mamei, în mod sigur nu se hrănea la ore prestabilite, în schimb, prin intermediul placentei şi al cordonului ombilical, organismul său îşi lua hrana de care avea nevoie. Şi după naştere trebuie să continue în acelaşi fel! Dacă i se dă libertatea de a alege, sugarul îşi va stabili, în numai câteva zile, un ritm propriu care, pentru el, va fi cel corect. Acest lucru presupune avantaje remarcabile pentru organizarea familiei, deoarece micuţul va fi răsplătit şi mulţumit şi, astfel, va face ca viaţa tuturor să fie mult mai simplă!

Dacă doarme, cât trebuie să aşteptăm pentru a-l trezi?

În general, un copil căruia i se lasă libertatea de a-şi alege ritmul de alimentaţie mănâncă la intervale cuprinse între minimum 2 ore şi jumătate şi maximum 4 ore. În cazul în care doarme mai mult de 4 ore şi jumătate, mergeţi să vedeţi ce face. Dacă doarme liniştit, mai aşteptaţi cam o jumătate de oră şi apoi treziţi-l. Dacă acest lucru se repetă de mai multe ori, discutaţi cu medicul pediatru.

Atât timp cât aveți lapte. Dacă laptele matern este abundent, puteți continua acest tip de alăptare până în luna a șasea (cazuri foarte rare) și, apoi, începeți să introduceți o masă diferită, chiar dacă îl hrăniți în continuare cu laptele dumneavoastră. Unele mame au un lapte atât de abundent și de nutritiv, încât pot continua alăptarea exclusivă chiar și până în luna a noua, sau a zecea, chiar dacă acest lucru se întâmplă foarte rar. Când se întâmplă un astfel de fenomen, este necesar să consultați medicul pediatru: după 6 luni, sugarii au nevoie de fier, care se regăsește în carne; în caz de alăptare exclusiv la sân, fierul trebuie administrat sub formă de picături.

Până când trebuie continuată alăptarea la sân?

Fecalele sugarului sunt oglindirea digestiei. Fecale „bune" înseamnă digestie perfectă. Fecalele sunt „bune" atunci când au caracteristicile tipice fecalelor rezultate din laptele consumat, deoarece variază în funcție de tipul de lapte.

Cum trebuie să fie fecalele sugarului?

De culoare galben aurie, aproape lichide și care îmbibă scutecele. Fecalele sunt eliminate cu foarte mult zgomot și de un număr de ori variabil. Mai exact, când laptele matern este abundent, copilul elimină de 4-5-6 ori pe zi. În general, mama își dă seama că micuțul își face nevoile de fiecare dată după ce mănâncă. Pe măsură ce copilul crește, numărul eliminărilor scade. Fecalele rezultate în perioada alăptării cu lapte matern tind să capete o culoare verde, în cazul în care sunt expuse mai mult timp la aer, chiar dacă se lipesc de scutec.

Cum trebuie să fie fecalele micuțului alăptat la sân?

Cum trebuie să fie fecalele de la laptele artificial?

Sunt mai consistente, sub formă de pastă, omogene, de culoare galbenă. Uneori sunt moi şi se lipesc de scutec, alteori sunt ceva mai solide şi se dezlipesc cu uşurinţă de scutec. Numărul eliminărilor este variabil: inferior celui rezultat în cazul laptelui matern, în general de 1-2-3 ori (cel mult) pe zi. Fecalele pot avea o culoare verzuie (oliv) şi chiar par a fi vopsite în verde. Acest lucru nu trebuie să vă preocupe, deoarece totul va intra în normal. Important este, chiar dacă au culoarea verde, să aibă mereu o consistenţă de pastă şi să fie omogenă. Deci, este fundamental să cunoaşteţi bine aspectul fecalelor propriului copil: este una dintre informaţiile cele mai importante pentru un medic pediatru.

Cât trebuie să mănânce copilul în decurs de o zi?

Înainte de toate, este important să cunoaşteţi care sunt limitele cantitative inferioare ale alimentaţiei unui sugar. Totuşi, doar ca o indicaţie, cantitatea de lapte pe care sugarul o consumă în decurs de 24 ore nu trebuie să fie sub 150-160 g la fiecare kilogram din greutatea corpului său. Această valoare reprezintă necesarul alimentar zilnic. Totuşi, aceste limite nu trebuie să fie considerate ca explicite deoarece, uneori, chiar şi copiii care mănâncă mai puţin, sub aceste valori, cresc suficient de bine. În realitate, sunt tolerate variaţii de 15-20% în plus sau în minus, care sunt determinate de apetitul copilului, mai ridicat sau mai scăzut. Dar este necesară foarte multă atenţie: evaluarea sugerată nu poate şi nu trebuie să fie aplicată în primele 10-12 zile de viaţă, adică în perioada de adaptare la alimentaţie, şi nici după luna a şasea, deoarece un copil reuşeşte cu greu, în primii doi ani de viaţă, să consume o cantitate de hrană (lapte sau alte feluri de mâncare) mai mare de litru pe zi.

Nu, şi vă explic de ce. Dacă aş vrea să fac o glumă, v-aş spune că bebeluşul se numeşte „sugar" pentru că suge lapte, nu apă, muşeţel sau ceai. Pentru a fi mai convingător, vă dau un exemplu: un copil care cântăreşte 5 kg înghite, în cele 24 ore, circa 750 ml de lapte; laptele este alcătuit din 87% apă, deci copilul consumă circa 650 ml de apă. Proporţional, este ca şi cum o femeie de 50 kg ar consuma 6,5 l de apă. Vă daţi seama câtă apă ar trebui să bea dacă ar avea o greutate şi mai mare? Daţi acest exemplu bunicilor, mătuşilor şi prietenilor care vă sugerează să-i daţi copilului să bea apă şi spuneţi-le că sugarul, în condiţii normale, nu are nevoie să bea. Dacă este ţinut într-un mediu excesiv de cald (de exemplu, vara), atunci poate deveni obligatoriu să îi daţi să bea.

Sugarul trebuie să bea apă sau alte lichide, ca de pildă ceai de muşeţel?

Dacă laptele matern este „optim şi abundent", copilul îşi va face nevoile de mai multe ori pe zi. Dacă este alăptat numai la sân şi se constipă (adică trec 1-2-3 zile fără să îşi facă nevoile), el îi semnalează mamei că laptele ei este încă suficient în prezent, dar că peste puţin timp nu îi va mai ajunge.

Cum ne putem da seama dacă laptele matern nu mai este suficient?

Nu vă fie teamă de acest tip de constipare. Unii medici pediatri susţin că puteţi aştepta chiar şi şapte zile înainte de a încerca să stimulaţi copilul (şi trebuie să vă spun că nu greşesc). Personal, vă sugerez să stimulaţi copilul după ce aţi aşteptat 3 zile, dar, în această perioadă, se intervine în scopul de a adăuga în alimentaţie o masă ori două cu lapte artificial.

În cazul în care copilul alăptat la sân se constipă, după cât timp trebuie stimulat?

Nu. Este absolut inutil. Dacă un copil alăptat exclusiv la sân este satisfăcut şi creşte normal, înseamnă că laptele este de calitate optimă.

Trebuie să se facă analiza laptelui matern?

Este necesar să dăm vitamine nou-născutului?

Da, în primele 3 luni este necesară vitamina K şi în primele 6-8 luni vitamina D. Vă sfătuiesc să le administraţi atât în cazul alăptatului la sân, cât şi în cel al alăptatului artificial.

Ce trebuie făcut în cazul în care nou-născutul sughite?

Nu trebuie să faceţi nimic. Sughiţatul este un fenomen frecvent la sugar. Îi serveşte pentru a-şi „aranja" stomacul după ce a terminat o masă copioasă. Este un fenomen natural, nu-l deranjează în niciun fel pe copil şi trece fără nicio altă intervenţie. Devin mult mai deranjante pentru micuţ „torturile" la care este supus pentru a face să treacă sughiţul.

Dacă râgâie, înseamnă că a digerat?

Nu, sughiţul nu înseamnă digerare, ci eliminarea aerul înghiţit în timpul suptului. Cu cât suge mai puternic, cu atât mai uşor înghite şi aer. Teoretic, suptul perfect nu are nevoie de sughiţ.

Trebuie să ne facem probleme dacă bebeluşul vomită?

Când o mamă îmi pune o astfel de întrebare, este necesar ca eu să înţeleg dacă micuţul „regurgitează" sau dacă „vomită". Prin *regurgitare* se înţelege eliminarea unei mici cantităţi de lapte care, în general, curge din guriţă şi murdăreşte baveta sau costumaşul copilului. Prin *vomitare* se înţelege eliminarea violentă, deseori zgomotoasă, cu jet la distanţă, a unei însemnate cantităţi de lapte. Nici regurgitarea, nici vomitatul nu sunt, decât în cazuri extrem de rare, determinate de o digestie proastă sau de o intoleranţă faţă de lapte, dar sunt recunoscute alte cauze: nervoase, anatomice.

Cum se manifestă regurgitarea?

Prin regurgitare sunt eliminate cantităţi mici de lapte. Aceste eliminări au loc imediat după ce a mâncat sau în timpul ce se scurge între o masă şi alta, sau chiar cu puţin înainte de masa următoare. Mamele sunt îngrijorate îndeosebi cu privire la cele care au loc la un timp mai îndelungat după masă și mai mult cu privire la cele care preced masa următoare. În realitate, nu există nicio diferență între regurgitarea care are loc imediat după masă și cea care are loc mai târziu. Unica diferență constă în faptul că, prin regurgitarea ce are loc imediat după masă, se elimină un lapte aproape nealterat; în schimb, cu cât masa este la distanță mai mare, cu atât laptele prezintă un proces de digerare mai avansat. În acest caz, laptele este eliminat mai închegat și însoțit de un zer de culoare alb-gălbuie.

Deoarece valvula care se află între esofag și stomac și care servește la închiderea stomacului nu se închide perfect și permite laptelui să se reverse spre gură, determinând regurgitarea.

De ce unii copii regurgitează și alții nu?

Nu, dacă bebelușul crește normal. Da, dacă nu crește. Cu toate limitele de aplicare ce au schematisme rigide în domeniul pediatriei vă pot spune că în caz de regurgitare merg următoarele ecuații:
• *regurgitări (chiar dacă sunt frecvente) cu creștere normală* = nicio grijă și, mai ales, nu se intervine cu medicamente;
• *regurgitări cu creștere normală, dar cu plânsete și iritări* = nicio grijă, dar se administrează medicamente pentru protecția esofagului;
• *regurgitări cu creștere scăzută sau stopată* = se intervine cu analize și medicamente.

Trebuie să ne facem probleme cu privire la regurgitări?

Da, dar nu în cazul unui plâns tipic, care se manifestă după masă și are loc concomitent cu regurgitări abundente. Acest fenomen este cauzat de faptul că regurgitarea, în afară de lapte, presupune un reflux de

Plânsul poate fi cauzat de regurgitare?

acid gastric care poate irita peretele esofagului. Dacă creşterea este normală, nu trebuie să vă faceţi griji, dar administraţi medicamente pentru protejarea peretelui esofagului.

Ce anume determină regurgitarea?

Regurgitarea la nou-născut se datorează *refluxului gastroesofagian* şi nu este determinată de o proastă digestie sau de intoleranţa faţă de lapte!

Cum trebuie aşezat micuţul în pătuţ?

Micuţul trebuie aşezat comod în pătuţ, într-o poziţie care să nu fie complet orizontală. Această măsură preventivă este definită drept *terapia poziţionării* şi constituie prima măsură ce trebuie luată în cazul manifestării regurgitării frecvente. Deseori, această măsură simplă funcţionează şi poate evita recurgerea la administrarea medicamentelor.

Ce greşeli se pot face când copilul regurgitează?

Să fie tratat când nu este cazul. Deseori, problema „regurgitare" este înfruntată în grabă şi cineva sfătuieşte ca laptele să fie schimbat. Dar, din moment ce toate tipurile de lapte sunt la fel şi cauza regurgitării nu implică proasta digestie, indispoziţiile nu dispar. În prezent, se găsesc în comerţ tipuri de lapte numite „antiregurgitare", la fel cu cele numite „îngroşate", care pot fi de un oarecare folos, dar nu rezolvă problema. În mod empiric, se poate adăuga la laptele normal puţină făină de orez, care serveşte la „îngroşare".

În definitiv, cum anume trebuie să ne comportăm în caz de regurgitare?

Nu trebuie să faceţi nimic dacă micuţul creşte normal şi dacă nu prezintă indispoziţii, precum agitaţia sau criza de plâns. Poate fi util, atunci când este în pătuţ, să îl punem în poziţie nu complet orizontală. Dacă în schimb copilul se agită sau face crize de plâns, atunci probabil că este vorba de o problemă importantă de reflux gastroesofagian. În acest caz, este oportun să consultați medicul pediatru, dar și o astfel de problemă este înfruntată cu bun-simț și echilibru și nu trebuie să recurgeți imediat la analize invazive (de exemplu *Ph-metrie*). Se va recurge la aceste investigații clinice dacă bebelușul nu crește.

Vomitatul la nou-născut și la sugar este, în mod cert, mai important decât regurgitarea. Nu mă refer la vomitatul cu caracter intermitent, care se manifestă cu ocazia unor mici indigestii, ci la vomitatul obișnuit și frecvent. Există trei aspecte ale vomitatului obișnuit asupra cărora să vă îndreptați atenția:

Creșterea: dacă, în ciuda unei vomitări frecvente, copilul crește normal, în general nu sunt probleme grave; dacă nu crește, atunci în mod sigur există probleme.

Frecvența: vomitarea accentuată este prezentă la aproape toate mesele. Este totală, cu eliminări de mari cantități de lapte și, mai ales, împiedică creșterea copilului.

Perioada apariției: în general, este mai puțin grav vomitatul care se are loc imediat după naștere decât cel care apare în jur de 15-20 zile de viață. În orice caz, atunci când apare acest fenomen repetat, trebuie să vă adresați imediat medicului.

Și pentru vomitat merge următoarea schemă:

• *vomitat intermitent și creștere normală* (fenomen rar) = așteptați și observați cu atenție, dar adresați-vă medicului;

• *vomitat frecvent și fără creștere* = probleme serioase, adresați-vă imediat medicului.

Acordați multă atenție sugarilor care în prima lună de viață prezintă: vomitare frecventă, constipație persistentă, eliminare scăzută a urinei, stoparea creșterii. În aceste cazuri este absolut necesar să vă adresați medicului.

Ce anume să facem în cazul în care copilul vomită?

4. Înțărcarea

Alegerea alimentației copilului și, în particular, metoda de înțărcare sunt, de-seori, dictate de modă, obiceiuri, tradiții, campanii de presă și chiar și de pro-tocoale internaționale. În general se dă o mare importanță înțărcării. Indicațiile sunt: dacă laptele matern este suficient, o mamă poate și, după părerea mea, tre-buie să alăpteze numai la sân mai mult de 6 luni. Dacă, în schimb, mama este obligată să administreze alimente înlocuitoare (adică mese cu lapte artificial), atunci se poate începe introducerea unei mese, alta decât lapte, în intervalul de 120-140 de zile de viață. Dacă micuțul agreează acest fel de mâncare, totul este bine; dacă, în schimb, îl refuză (dar în general la această vârstă îl acceptă), se poate continua liniștit cu laptele. Totuși, amintiți-vă: cu cât se întârzie intro-ducerea noului tip de mâncare, cu atât mai greu va fi acceptat de copil. OMS (Organizația Mondială a Sănătății) vă sfătuiește să începeți înțărcarea în lunile 5-6 (adică mai târziu decât indică marea parte a medicilor pediatri), iar acest lucru le poate deruta pe mame. În realitate, OMS stabilește protocoale care tre-buie să fie valabile pentru toate națiunile din lume, dar condițiile igienico-sa-nitare, economice și sociale diferă foarte mult de la o țară la alta. Data începerii înțărcării nu va constitui, în mod cert, o problemă pentru copiii noștri. Pro-blema, așa cum am spus, este aceea că, dacă se întârzie, cu atât mai greu va fi pentru copil să accepte un aliment diferit de lapte; în acest fel, va continua să mănânce numai lapte, care va trebui completat prin administrarea de medica-mente ce conțin fier.

Cum trebuie să fie masa care diferă de cea cu lapte?

Laptele este cel mai complet dintre alimente; de fapt, conține elementele fundamentale pentru a garanta necesarul nutritiv al omului: carbohidrați, grăsimi, proteine și apă. Deci și noua mâncare trebuie să aibă aceleași caracteristici nutritive: apa se va regăsi într-o „supă de legume" în cantitate de 200-250 ml; carbohidrații se regăsesc în făina de orez, de porumb și tapioca (care, spre deosebire de alte cereale, nu conțin gluten) în cantități de circa 10%; grăsimile sunt asigurate de 5 g de ulei de măsline; proteinele sunt furnizate de carne. Cel puțin din luna a șasea, acestea din urmă trebuie administrata sub formă pasată sau deshidratată, în cantități de câte 40 g cele pasate și de câte 10 g per aliment deshidratat.

Ce anume să alegem: alimente pasate sau deshidratate?

Nu este nicio diferență între acestea; poate că alimentele pasate au un gust și o aromă ceva mai plăcute, dar produsele deshidratate nu conțin niciun fel de adaos. Totuși, este necesar să știți că în circa 100 g carne sunt circa 18-20 g proteine, în timp ce în 100 g de pastă sunt numai circa 10-12 g și în aceeași cantitate de produse deshidratate, circa 50-60 g. Ca urmare, pentru a da un exemplu, dacă doriți să îi asigurați 5 g de proteine pe zi, trebuie să îi dați 25-30 g de carne sau 40-50 g de pastă sau 10 g de produs deshidratat.

Când să continuăm masa cu lapte?

Prin luna a cincea, dacă ați introdus deja o masă diferită de lapte. Dacă, în schimb, se continuă alăptarea numai la sân, trebuie să continuați numai cu lapte matern.

Când trebuie să adăugăm parmezan ras?

Parmezanul este un aliment bogat în proteine și este un adaos util pentru a da mai mult gust mâncării. Uneori, caracteristica excesivă a gustului său nu este agreată de către copil. Din această cauză, vă sfătuiesc să îl introduceţi după ce copilul a învăţat să mănânce, cu plăcere, un nou fel de mâncare.

Este necesar să introducem fructe înainte de înţărcare?

Nu. Cineva (deseori „experţii familiei") sugerează acest lucru motivând că, în acest fel, copilul se obişnuieşte cu linguriţa şi cu diversele mâncăruri. Mie mi se pare că acest lucru este indicat mai degrabă pentru a o mulţumi pe mamă, decât ca fiind o necesitate reală a copilului şi, mai ales, datorită mentalităţii adultului, care vrea să îşi impună regulile. Adevărul este că micuţului îi place să sugă şi încă nu şi-a dezvoltat prea mult simţul gustului. Şi atunci, de ce să intervenim cu toate aceste noutăţi? Dar, ca un fel de scuză, se spune că fructul ras nu face rău.

În primul an de viaţă, fructul este indispensabil pentru copil?

Fructul este considerat de către mame, aproape întotdeauna, un aliment indispensabil. În realitate, este o componentă importanta, dar nu fundamentală în alimentaţia copilului. Fructele cărnoase, zemoase şi acidulate (mere, pere, caise, piersici, cireşe, prune, struguri, portocale, mandarine, lămâi şi grepfrut) sunt bogate mai ales în apă şi conţin o cantitate foarte mică de zaharuri. Fructul, cu excepţia bananei, are un conţinut scăzut de calorii, dar asigură săruri minerale (potasiu, calciu, sodiu, magneziu) şi vitamine. Dar sărurile minerale şi vitaminele se regăsesc, în cantităţi mai mult decât suficiente, în toate celelalte alimente prevăzute pentru hrănirea copiilor în primul an şi în anii următori. În orice caz, fructul se poate administra, ras sau pasat, începând cu luna a patra. Sfatul este ca acest gen de aliment să îi fie dat copilului treptat, astfel încât să puteţi evalua diferitele intoleranţe. Mărul, para, banana nu dau alergii. Este indicat să încercaţi cu fiecare fruct, puţin câte puţin.

Se pot da paste de fructe?

Da, deoarece conţin zaharuri (5-20%), acid citric, acid malic, acid tartaric (toate inofensive), pectină, săruri minerale şi unele vitamine. Sunt mai bogate în vitamine decât fructul natural şi, uneori, sunt agreate de către copii.

Legumele reprezintă un aliment fundamental?

Şi legumele, ca şi fructele, sunt considerate de către multe mame alimente fundamentale pentru nutriţia copilului; în realitate, sunt importante, dar nu indispensabile. Din punct de vedere nutriţional, legumele au un conţinut scăzut de calorii, sunt bogate în apă şi sunt, în mod sigur, o sursă de minerale şi vitamine, deoarece nu conţin altceva. Sărurile minerale şi vitaminele sunt prezente în cantităţi mai mult decât suficiente în toate celelalte alimente prevăzute pentru alimentaţia copiilor în primul an de viaţă şi în cei următori. Legumele conţin mai ales fibre, care duc la creşterea volumului de fecale şi împiedică uscarea acestora, favorizând tranzitul intestinal; de aceea, pot fi folosite ca un corector al alimentaţiei în caz de constipaţie.

În perioada de întărcare este mai bine să îi dăm supă sau legume pasate?

Este mai indicată supa; legume pasate numai dacă micuţul este constipat. Desigur, acest lucru este valabil pentru alimentaţia din primele 6-7 luni, apoi se pot administra şi legumele pasate.

Morcovul şi dovleacul dau un colorit galben pielii copilului?

Da. Dacă supele şi pastele vegetale conţin mult morcov şi dovleac, pielea copilului poate căpăta o tentă gălbuie-portocalie. Acest lucru nu trebuie să vă îngrijoreze, deoarece nu dăunează deloc copilului. Din contra, îl poate face mai frumos.

Este adevărat că nu trebuie să exagerăm cu făina?

Da. Făina se obţine prin măcinarea cerealelor. În funcţie de mărimea granulaţiei, se regăseşte sub formă de creme, făinoase, făină măcinată mare, ciucuri; în plus, cerealele sunt precoapte, adică sunt supuse unui tratament ce nu necesită coacerea şi deci se pot folosi imediat. Trebuie diluată la cald sau la rece, în apă sau lapte. Făina conţine mai ales amidon (60-80%), zaharuri sau carbohidraţi şi proteine (7-12%), iar cea derivată din porumb şi ovăz conţine şi o cantitate mică de grăsimi (5%). Deci, este un aliment dezechilibrat (are exces de carbohidraţi), care trebuie administrat în cantităţi adecvate, indicate de către medicul pediatru, ca adaos la alte alimente.

Ce anume este glutenul şi de ce necesită o atenţie deosebită?

Glutenul este o proteină ce se regăseşte în toate cerealele (grâu, ovăz, orz, secară) exceptând orezul, porumbul şi tapioca. Este posibil ca glutenul să nu fie tolerat de intestinul copilului care suferă de o boală numită boală celiacă (boală intestinală), caracterizată prin diaree cronică cu eliminare de fecale în cantităţi mari (mama rămâne uimită de câte fecale elimină copilul în raport cu cantitatea de mâncare pe care o consumă), asociate cu un apetit scăzut, diminuare sau lipsă a creşterii, atât în greutate, cât şi în înălţime, iritabilitate, anemie. Se poate manifesta la puţine luni după înţărcare, în general între luna a opta şi a zecea de viaţă. În realitate, boala intestinală este mult mai complexă decât o simplă diaree cronică, putând implica şi alte organe şi aparate, şi de multe ori este descoperită la o vârstă adultă, datorită apariţiei unor alte simptome, fără să fi manifestat vreodată probleme intestinale. Cura este dietetică şi constă în eliminarea totală a glutenului din alimente (pâine, paste făinoase, biscuiţi, grisine etc.). În comerţ se găsesc toate aceste alimente preparate fără gluten.

Se poate suspenda dieta fără gluten?

Nu, dieta lipsită de această proteină trebuie neapărat menținută pentru toată viața. Totuși, acest lucru nu trebuie să vă preocupe, deoarece absența glutenului din alimentația copilului nu are efecte negative asupra creșterii și dezvoltării acestuia.

Când se introduce, pentru prima oară, glutenul în timpul întărcării?

În mod normal, sfatul este de a introduce glutenul în alimentația copilului după luna a șasea. În ultima vreme, mulți gastroenterologi pediatri sugerează ca acesta să fie introdus și mai înainte deoarece, susțin aceștia, și nu greșesc, dacă micuțul nu tolerează glutenul, este din cauza faptului că se introduce târziu în alimentație. Personal, consider că, atâta timp cât copilul crește bine și fără o dietă care nu conține cereale cu gluten și cunoaște o creștere majoră în primele 6 luni de viață, nu are rost să îl „zgândăriți" cu un aliment potențial dăunător în faza importantă a creșterii. De ce să-i provocăm o boală care ne obligă să îl alimentăm fără gluten? Bunul-simț ne sugerează să așteptăm!

Care este momentul optim pentru a introduce carnea proaspătă?

Din luna a șasea puteți înlocui alimentul pasat sau deshidratat cu carne proaspătă. Pentru preparare puteți proceda astfel: fierbeți carnea cu legumele, luați nu mai puțin de 30 g carne fiartă, mărunțiți-o și adăugați-o în supa ușoară. Înlocuirea alimentelor pasate cu carne mărunțită nu este indispensabilă, dar poate fi utilă pentru a-l obișnui pe copil cu o mâncare mai puțin pasată. Dacă, din motive de organizare, preferați să continuați cu hrană pasată, să știți că o puteți face fără teamă până când copilul va demonstra că agreează mâncăruri mai complexe (în general spre vârsta de un an). Personal, împreună cu alți medici pediatri, vă sfătuiesc să acționați în acest sens.

Cam pe la 7-8 luni, spre liniştea „experţilor", se poate trece la laptele de vacă, numit şi lapte de lăptărie (în rest, toate tipurile de lapte, inclusiv laptele pentru continuare, sunt derivate din cel de vacă, şi, deci, au multe dintre caracteristicile acestuia). În legătură cu aceasta, trebuie să ştiţi că firmele producătoare de lapte, în scopul de a furniza copilului un aliment tot mai rafinat, au produs tipuri de lapte artificial pentru administrare mult timp după luna a şaptea (se administrează chiar şi până la 2 ani). Mulţi medici pediatri sfătuiesc mamele să folosească aceste tipuri de lapte, numite „lapte pentru creştere". Motivaţiile „ştiinţifice" care stau la baza acestor indicaţii nu mă conving suficient pentru a justifica preţul (net superior laptelui de vacă). Copiii digeră, absorb şi cresc la fel de bine şi cu laptele de vacă, şi, deseori, îl agreează mai mult.

Când se poate da lapte de vacă?

Laptele de vacă are un conţinut de calorii asemănător cu cel al laptelui matern, dar se deosebeşte de acesta deoarece conţine o cantitate de proteine şi săruri minerale de trei ori mai mare, deşi cantitatea de carbohidraţi (sau zaharuri) este mai scăzută şi, într-o mică măsură, conţine grăsimi. Deci, datorită acestor caracteristici, laptele de vacă se „corectează" prin diluare cu apă.

Cum trebuie administrat laptele de vacă?

Dacă e necesară diluarea laptelui cu apă, minerală sau de la robinet, este important să deţineţi unele informaţii cu privire la starea instalaţiilor de apă locale. Cantitatea de apă ce se adaugă este de 1/3 din cantitatea de lapte: trebuie să turnaţi în biberon 2 părţi lapte şi 1 parte apă. Pentru o masă de 150 g sunt necesare, de exemplu, 100 g lapte şi 50 g apă.

Cum se procedează pentru corectarea laptelui de vacă?

Trebuie să adăugăm ceva în laptele de vacă diluat?

Da, carbohidraţii. Şi anume, făină de orice tip şi zahăr normal. În ce cantităţi? 5% din porţia de masă (de exemplu: pentru o porţie de 150 g trebuie să adăugaţi 7,5 g carbohidraţi). Proporţia între zahăr şi făină, sau biscuiţi, trebuie să fie astfel: o parte zahăr + 2 părţi făină sau biscuiţi.

Se poate folosi miere în loc de zahăr?

Da, dar aveţi grijă că mierea are o dulceaţă caracteristică şi este un produs care se contaminează cu uşurinţă. Cumpăraţi întotdeauna produse care au fost fabricate respectând normele europene!

Ce lapte de vacă să alegem?

Este mai bine să alegeţi lapte integral şi pasteurizat. Pasteurizarea înseamnă sterilizare relativă şi, deci, laptele are „termen scurt de conservare". Pasteurizarea este o metodă care permite distrugerea germenilor fără a altera în mod semnificativ compoziţia şi calitatea laptelui. Tipurile de lapte au aceste caracteristici comune, deci sunt asemănătoare între ele. Acest lucru este un ajutor pentru mamele care, mai ales în concedii, se tem că trebuie să schimbe tipul de lapte.

Se poate folosi lapte cu conservare îndelungată?

Da. În cazul în care laptele proaspăt se găseşte cu greu, se poate administra, un timp, şi lapte cu termen lung de conservare, fără a aduce vreun prejudiciu copilului.

Se poate da copilului lapte abia muls?

Din păcate, laptele de vacă constituie un excelent teren de creştere pentru mulţi microbi, fapt pentru care poluarea sa bacteriană se poate face mai uşor decât credem. Din această cauză, laptele de vacă ce se administrează copiilor trebuie să fie neapărat supus unui proces de sterilizare. Dacă vă decideţi să folosiţi lapte abia muls, atunci se recomandă să îl fierbeţi bine. Totuşi, este necesar să amintesc că laptele nu trebuie considerat că fierbe atunci când se ridică şi trebuie să fiarbă la foc mic cel puţin încă 10 minute, pentru a fi steril. În acest caz, trebuie să amestecaţi continuu pentru a împiedica ieşirea acestuia din vas. Totuşi, o astfel de metodă de sterilizare duce şi la o distrugere a multora dintre nutrienţii cei mai buni. Mai nou, unele ferme agricole distribuie şi vând direct laptele abia muls. În mod sigur, provenienţa acestuia va fi din crescătorii bine alese şi controlate în mod riguros din punct de vedere igienico-sanitar; totuşi, consider ca fiind oportună aprofundarea argumentului înainte de a hrăni copiii mici cu acest lapte.

În sfatul meu există un plus de prudenţă cu privire la comportamentul unor medici pediatri care, de teamă să nu cauzeze apariţia unor intoleranţe alimentare sau alergii (astm, crustă lactee etc.) sau să administreze copilului o alimentaţie neechilibrată (de exemplu, un exces de proteine), sunt reticenţi faţă de introducerea precoce a laptelui de vacă proaspăt. În legătură cu acest lucru, aş dori să fac unele observaţii. În ceea ce priveşte *teama faţă de alergii*, consider că este oportun să vă amintesc că tipurile normale de lapte artificial din comerţ sunt derivate din lapte de vacă şi conţin, deci, proteinele (posibile responsabile de apariţia alergiilor), grăsimile şi carbohidraţii din laptele de vacă. Deoarece perioada în care, în mod concret, există posibilitatea de sensibilizare a organismului faţă de substanţele conţinute de laptele de vacă, pare să fie reprezentată de primele luni de viaţă, ideea de a nu introduce acest aliment ar putea fi acceptată numai cu condiţia existenţei certitudinii că

Este periculos să hrănim copilul cu lapte de vacă în primele 12 luni?

55

toate mamele își pot alăpta copilul la sân până la sau chiar peste 6 luni. Din punct de vedere statistic, în schimb, și uneori datorită serviciului, mamele întrerup alăptarea naturală după luna a treia: rezultă deci că, mai devreme sau mai târziu, acestea sunt constrânse să dea copilului lapte artificial (așa cum am spus, derivat din laptele de vacă). Doar dacă, nu cumva, se socotește că este necesar ca până dincolo de luna a șasea să se administreze tipuri speciale de lapte sau chiar „non-lapte", ca de exemplu „lapte" din soia, care este un lapte vegetal! Bunul-simț, dar și etica profesională ne sugerează că nu este cazul să îi supunem unor alimentații speciale, care uneori riscă să fie parțial deficitare, pe toți copiii, fără discriminare, datorită cazurilor rare de intoleranțe sau alergii. Paradoxul este că, apoi, ori de câte ori ar apărea aceste cazuri de intoleranțe, ele vor fi vindecate prin administrarea unor diete speciale (ca de pildă, deja citatul lapte din soia vegetal). În esență, copilul se hrănește cu un „lapte" special pentru a nu fi obligați ca mai apoi să îi dăm … „lapte" special! Totuși, în acele cazuri, puțin frecvente, de existență dovedită a intoleranțelor sau alergiilor alimentare în familia copilului, poate fi justificată întârzierea introducerii laptelui de vacă în alimentația copilului. O altă teamă este alimentația neechilibrată, și, pentru a preîntâmpina această problemă, laptele de vacă se diluează cu apă și i se adaugă carbohidrați.

După luna a șaptea sau a opta, trebuie să existe un echilibru între lapte și carne?

Înainte de a răspunde, aș vrea să fac o scurtă introducere, care mi se pare fundamentală pentru a înțelege problema „alimentației copilului". Așa cum am spus, cu privire la înțărcare se aud teorii de toate felurile. Deseori, în domeniul alimentației, presupușii experți (sunt o grămadă în reviste!) spun totul și contrariul la totul, chiar și că ceea ce mergea bine acum cinci ani nu mai merge bine în prezent și așa mai departe. Totuși, în ciuda acestor terorizări psihologice (faimoasele „gustărele", dulciurile, „porcăriile alimentare" etc.) sau protocoale, în ultimii douăzeci de ani copiii sunt mai înalți și mai armonios formați (practic, mai frumoși). De ce? Deoarece îmbunătățirea condițiilor economice a dus la alimentarea lor cu mâncăruri mai bogate în elemente fundamentale, care permit energiilor fizice potențiale ale acestora să se exprime mai bine. În baza acestor observații, problema „înțărcatului" nu trebuie dramatizată, dar nici simplificată. După 6-7 luni se poate da copilului, treptat, fiecare tip de aliment (cu foarte mici excepții), cu condiția ca acesta să fie sigur din punct de vedere igienic și gătit în mod adecvat. Copilul va fi cel care va decide dacă îi place sau nu: dacă îi va plăcea, atunci se poate continua, dacă nu îi va plăcea, atunci se va trece la un altul. Fără atitudini rigide și, uneori, „izbucniri" ridicole. În mod cert, o alimentație echilibrată în primii ani de viață trebuie să asigure zilnic un echilibru corect între lapte și derivatele acestuia (iaurturi, budinci, brânzeturi, înghețate) și carne, sau înlocuitorii acesteia (de exemplu ouă, șuncă, pește). Laptele furnizează (pe lângă toate lucrurile pe care le știm) calciul (elementul frumuseții), iar carnea furnizează fierul (elementul sănătății).

Când poate fi hrănit copilul cu ou?

Din luna a șaptea. Se poate adăuga (numai gălbenușul) crud în supă, în ultimele minute de preparare sau imediat ce a fost luată de pe foc, sau poate fi gătit separat. În acest caz, se va administra cu lingurița. La mesele care sunt cu ou nu se adaugă carne. Oul tare este mai greu de digerat, deci este preferabil să aşteptaţi şi să i-l oferiţi după primul an de viaţă. Albuşul poate fi administrat după 10-11 luni, deoarece există o oarecare posibilitate de apariţie a intoleranţei.

Care sunt dificultăţile privind înţărcarea?

Una dintre cele mai frecvente îndoieli ale mamei care încearcă să înţarce copilul este teama ca nu cumva micuţul să refuze noua mâncare. De fapt, sugarii au rutina lor, ceea ce poate face ca sarcina de a-i schimba obiceiurile să fie una dificilă. Dacă sunt obişnuiţi la sân, este greu să se adapteze la biberon şi, uneori, este şi mai greu să se înveţe cu linguriţa. Deci, sfatul este acela de a-i oferi „noua mâncare" prin „metoda veche", adică administrându-i supa de zarzavat cu ajutorul biberonului. Deci va trebui să se ţină seama de probabilitatea de a avea dificultăţi în iniţierea copilului în folosirea unui nou aliment. Aceste dificultăţi sunt rare, dacă lucrurile se fac la momentul oportun. Deoarece, dacă este adevărat că micuţul are rutina lui, este adevărat şi faptul că noi intervenim înainte ca acesta să fi devenit „prea rutinat", fapt pentru care şansele de reuşită sunt mai mari. Cu alte cuvinte, dacă decidem să introducem târziu noua mâncare, şi anume după 5 luni, aproape sigur vom întâmpina dificultăţi cu mult mai mari, deoarece copilul se va fi obişnuit de prea mult timp, şi mai ales şi din punct de vedere psihologic, cu laptele.

Ce să facem dacă micuţul refuză altă masă decât cea cu lapte?

Refuzul unei noi mâncări poate induce comportamente opuse: pe de o parte, mama cea fermă, care se încăpăţânează şi îşi urmăreşte scopul în mod obsesiv, de cealaltă parte, mama leneşă, care din dorinţa de a nu-şi crea probleme, continuă dieta cu lapte. Aceste două atitudini sunt incorecte. În alimentarea copilului este necesar să faceţi ceea ce trebuie la momentul potrivit. Începerea înţărcării între luna a patra şi a cincea este momentul bun şi nu creează probleme aproape niciodată. Dacă apar dificultăţi, trebuie să daţi dovadă de fermitate, dar fără a exagera. Nu renunţaţi imediat, dându-i iarăşi lapte: lăsaţi-l să aştepte puţin; deseori apetitul îl determină pe copil să caute noua mâncare. Este o mică „cruzime", pentru care vă sfătuiesc să nu disperaţi. Dar un minimum de fermitate nu strică în acest caz, deoarece este în interesul copilului. Unii sfătuiesc ca mâncarea să fie îndulcită, dar, personal, consider că este o practică ce trebuie evitată (chiar dacă uneori funcţionează). În definitiv, dacă micuţului îi place mâncarea diferită de lapte, este un lucru bun (şi dacă este propusă la momentul optim, o acceptă bine aproape de fiecare dată). Dacă nu îi place, nu este cazul să faceţi din asta o tragedie. Se suspendă pentru puţin timp (7-8-10 zile), apoi se reintroduce.

Vreau să le amintesc mamelor (şi de ce nu, chiar şi bunicilor) că micuţul este un „mâncău" serios. Mănâncă pentru a trăi. *Preferă să mănânce, întotdeauna, aceleaşi lucruri*, şi în general, dă dovadă de opunere faţă de noile mâncăruri. Din acest motiv este o inutilă pierdere de timp să încercaţi gusturi noi pentru copiii cu vârstă între 6 şi 12 luni. Să nu vă învinuiţi dacă, din lipsă de timp, nu transformaţi hrănirea copilului dumneavoastră într-un exerciţiu de înaltă artă culinară.

Este sarcina mea şi a colegilor mei să le liniştim pe mame (şi pe taţi, şi pe bunici). Alimentaţia copilului este un lucru serios şi la fel va rămâne dacă se dovedeşte a fi simplă. Mâncărurile preparate prin compoziţii elaborate pot educa micuţul în sensul

În primul an trebuie să mănânce tot timpul aceleaşi alimente?

Ce să facem dacă micuţii, după vârsta de un an, vor numai alimente pasate?

59

gusturilor, al mirosurilor și chiar al diverselor culori, dar nimic altceva, din punct de vedere nutrițional, față de mâncărurile pe bază de produse pasate sau deshidratate.

Este adevărat că folosirea aceluiași aliment poate duce la lipsa poftei de mâncare?

Nu. Monotonia alimentară nu înseamnă alimentație proastă și nici măcar nu duce la lipsa poftei de mâncare a copilului. Acesta este modul de a gândi al unui adult! Dacă în primul an de viață, copiii nu mănâncă ceea ce li se prepară de obicei, nu o fac pentru că sunt sătui până peste cap de mâncarea obișnuită. Poate că, pur și simplu, nu le este foame. În acest caz, trebuie să căutați motivul pentru care apetitul este scăzut.

Trebuie să forțăm copilul să cunoască mâncăruri noi?

Nu, nu întâmplător le sfătuiesc pe mame ca, atunci când introduc mâncăruri noi, să folosească, întotdeauna, expresia „te rog" și nu cuvântul „trebuie", pentru a clarifica faptul că alimentația copilului, după înțărcare, nu trebuie să fie caracterizată de impuneri forțate (ar fi o greșeală gravă, nu numai una neproductivă). Trebuie să fie un proces de cunoaștere reciprocă și de descoperire a unui aspect important al vieții, împărtășit de părinți și copii, și care îi face pe aceștia din urmă să abordeze mâncărurile adecvate cu plăcere.

Când putem prepara mâncăruri mai complexe?

Când copilul, în general pe la un an, stând la masă cu părinții, dă dovadă de interes față de mâncarea acestora. În acest caz este bine să le dați să guste și, în general, copilul vă va da de înțeles dacă îi place. Uneori se întâmplă ca, în ziua următoare, pline de entuziasm, mamele să propună micuțului să guste din nou, dar acesta să scuipe și să ceară vechea mâncare.

Nu vă speriați: în acest fel începe o nouă perioadă de cunoaștere între părinți și copii, perioadă caracterizată de alimente aruncate pe jos, pe pereți și pe hăinuțe, care este destinată, însă, succesului.

Când să începem să îl învățăm să mănânce cu lingurița?

Este bine în orice moment, cu condiția să vrea copilul. Dacă nu există probleme de alt gen, se poate da biberonul, în primele 6 luni, și apoi, treptat, se poate introduce și folosirea linguriței. Unii copii se adaptează cu o oarecare greutate; în acest caz, nu trebuie nici să îi forțați, nici să renunțați la tentative, ci să găsiți echilibrul corect între biberon și linguriță.

Copilul trebuie să mănânce toată mâncarea?

Copilul mănâncă atunci când dorește și nu trebuie forțat atunci când refuză să mănânce. Uneori, mai ales în prima perioadă a înțărcării, este posibil să nu consume toată mâncarea. În acest caz, o bună regulă este aceea de a reduce cantitatea de supă, lăsând neschimbate dozele de făină, ulei, făină de orez și carne. Alteori, spre vârsta de 7-8 luni, copilul dă de înțeles că nu îi mai place masa cu lapte de după-amiază; și în acest caz este inutil să îl forțați. Laptele poate fi înlocuit cu iaurt, brânzeturi proaspete sau budincă. Este greșit să înlocuiți laptele, care este nutritiv, cu fructe, care sunt puțin nutritive.

Este necesar să punem sare în mâncare?

Mamele, în general, consideră ca fiind corect să săreze ciorba de zarzavat sau supița. În realitate, este mai bine să îl obișnuiți pe copil cu gustul sărat ceva mai târziu.

Zahărul face rău copiilor?

Nu. Mamele sunt recalcitrante cu privire la folosirea zahărului deoarece se tem că acesta ar putea provoca tulburări intestinale. Nu este adevărat: nu numai că

nu face rău, dar este şi necesar pentru o creştere co-
rectă. Problema zahărului este alta: de fapt, prezenţa
sa masivă în dietă poate fi cauza bolilor metabolice la
vârsta adultă, de exemplu obezitatea, şi acelaşi lucru
este valabil şi pentru miere.

**Există riscuri în timpul în-
tărcării?**

Nu. Practic, nu există niciun risc. În schimb, este
vorba de o mulţime de banalităţi. Cea mai răspân-
dită este sfatul de a amâna întărcarea, sau orice
schimbare alimentară a unui sugar, pentru anotim-
pul răcoros. Nu este nimic adevărat în asta, deoarece,
în ziua de azi, dispunem de aparaturi casnice care
permit o preparare corectă şi o conservare perfectă a
mâncărurilor.

5. Cum să ne ocupăm cu atenție de copil

A îngriji copilul cu atenție înseamnă a fi în stare să vă ocupați de toate aspectele care vă ajută să îi oferiți o calitate a vieții adecvată cerințelor acestuia. Ceea ce înseamnă că trebuie să vă ocupați de sănătatea lui, de toate nevoile sale și că trebuie să îl însoțiți în lume pentru a-l ajuta să se încadreze în ea în cel mai bun mod. Deci, trebuie să faceți tot posibilul pentru a-l învăța un stil de viață corect.

Organizarea în casă

Cum să alegem organizarea cea mai adecvată?

În casă, copilul trebuie să se simtă bine oriunde, cu condiţia să fie înconjurat de familie. Totuşi, trebuie să aveţi posibilitatea de a-l aşeza într-o cameră luminoasă şi însorită, unde să i se asigure o permanentă schimbare a aerului, indiferent de anotimp. Din păcate, şi în prezent mai sunt copii ţinuţi în locuri calde, cu un aer foarte închis, datorită fricii faţă de frig. Vă amintesc că este mai rău ca micuţul să stea într-un ambient cu aer viciat decât într-unul cu aer rece. Deci, trebuie să se asigure aerisirea frecventă a aerului, atât direct, mutând copilul, pe moment, în altă cameră, cât şi indirect, aerisind celelalte camere şi deschizând apoi uşile de comunicaţie.

Important este ca îngrijirea copilului să garanteze liniştea mamei, care trebuie să îl aibă aproape, mai degrabă pentru a-l auzi, decât pentru a-l vedea. Copilul doreşte să stea cât mai aproape posibil de mămica lui, căreia, timp de nouă luni, i-a auzit vocea, respiraţia, bătăile inimii şi doreşte să audă toate zgomotele ce au caracterizat zilele de graviditate. Acelaşi lucru este valabil şi pentru zgomotele ce vin din afară (ca de pildă soneria, telefonul, televizorul) care i-au devenit familiare şi care, încă dinainte de a se naşte, au fost percepute ca fiind mediul său, căruia îi aparţin mama şi tata. Dar, din păcate, în intenţia de a da copilului cea mai bună îngrijire posibilă, în momentul în care ajunge în casa „lui" şi ar trebui să se încadreze în aceasta ocupând un loc bine determinat în familie, deseori (în general în familiile înstărite, care au case mari) este izolat în camera „lui", minunată din punct de vedere al dotărilor, dar total lipsită de căldură şi, mai ales, ruptă de viaţa familială. Mă întreb cum poate oare să se simtă acceptat un copil tratat în acest fel. Mă folosesc de această ocazie pentru a vă spune că seninătatea unui nou-născut și a unui copil este dată de trei factori, și anume: *a fi respectat, a vedea că sunt satisfăcute nevoile sale vitale* și *a fi acceptat.*

Unde trebuie să stea copilul în timpul nopții?

În primele perioade, mai ales dacă alăptarea se face la sân, este mai comod să țineți copilul în camera părinților, având grijă ca aceasta să fie bine aerisită. Nu îi este de folos copilului dacă acesta respiră aerul dintr-o cameră închisă, în care dorm doi adulți. Așadar, chiar și atunci când nu este posibil să țineți fereastra deschisă în timpul nopții, trebuie să aveți grijă să aerisiți camera înainte de a merge la culcare. În momentul în care ați aranjat leagănul în dormitor, este indicat ca în timpul nopții să țineți deschise ușile camerelor din toată casa, permițând astfel o suficientă circulație a aerului. Când copilul nu mai cere masa din timpul nopții, poate fi mutat „afară". Asta nu înseamnă nicidecum să îl izolați în camera lui (dacă există); este suficient dacă este pus dincolo de ușa deschisă de la camera părinților, astfel încât să poată fi auzit. Deoarece, dacă este adevărat că micuțul îi poate deranja pe părinți în timpul nopții, atunci este și mai adevărat că părinții îi pot deranja lui somnul.

Cum trebuie să fie leagănul?

Leagănul copilului trebuie să răspundă unor anumite cerințe cu privire la comoditate, igienă și chiar și de economie: nu trebuie să uitați că leagănul va fi culcușul lui doar în primele luni, fapt pentru care este inutil să cheltuiți mult pentru un obiect a cărui folosire este limitată ca timp (în afară de cazul în care, lucru demn de laudă, ați programat o familie numeroasă). Există leagăne din răchită, metal și lemn. Toate sunt bune, important este să fie construite astfel încât să fie curățate cu ușurință. Dimensiunile leagănului nu trebuie să fie nici prea mari și nici prea mici. Cele mici corespund sfatului corect al psihologilor moderni de a da copilului senzația că este protejat și înconjurat; cu toate acestea, nu trebuie să exagerați cu protecția în dauna libertății de mișcare. Sunt utile și acoperitorile care atenuează reflexia luminii și a surselor de căldură. În prezent, firme specializate în domeniu (care, cu privire la unele aspecte ale vieții cotidiene a copilului, sunt mai informate și știu să dea sfaturi mai precise decât cele din partea unor „adepți ai activității pediatrice") oferă produse perfect adecvate cerințelor copilului, atât din punct de vedere igienic, cât și din punct de vedere al confortului.

Copiii trebuie să fie înveliți când stau în leagăn?

În lunile de iarnă este indicat să acoperiți copilul cu un cearșaf, iar dacă temperatura este sub 20 °C, este necesar să adăugați o cuvertură mică. Deseori, păturicile și cearșafurile sunt respinse de către copil, pe care îl găsiți complet dezvelit, lucru ce le preocupă pe multe mame. Stați liniștite: în legătură cu acest fapt trebuie să vă amintiți că micuțul nu trebuie să fie prea învelit și că este mai bine să adaptați îmbrăcămintea acestuia la temperatură și să îl lăsați să se agite liber și să se descopere cât dorește. Dacă micuțul (care este mai voinic decât se crede) se dezvelește, o face pentru că îi este prea cald.

Când să mutăm copilul în pătuț și cum trebuie să fie acesta?

Pe la 6-7 luni, copilul poate fi mutat în pătuț, care trebuie să fie dotat cu margini destul de înalte, deoarece va trebui să corespundă unor norme de siguranță precise, capabile să îl împiedice pe micuț, din clipa când a învățat să se ridice în picioare, să cadă din pat. Ca și în cazul leagănului, și de această dată firmele specializate oferă o gamă de produse cu ample garanții în ceea ce privește comoditatea, confortul și siguranța. Este important ca planul de sprijin să fie rigid și saltelуțele, mai ales dacă sunt din lână, să fie ușor de îndreptat. Deasupra salteluței trebuie să puneți o mușama impermeabilă, pe care o acoperiți cu un fetru sau cu un prosop din țesătură eponj, și apoi cu un cearșaf din bumbac normal. Nu exagerați cu învelitorile: dacă este frig, îmbrăcați copilul cu o pijama mai grosuță.

În ce poziție trebuie așezat copilul în leagăn sau în pătuț?

Pe spate. În general, această întrebare presupune existența unei ușoare temeri din partea mamei cu privire la sufocarea în cazul regurgitării. Niciun copil (nici cei mai mici) nu moare din cauza regurgitării. Din păcate, revistele sunt cele care induc mamelor aceste temeri, când se referă la acel teribil eveniment care este moartea în leagăn, citând textual: „un copil moare din cauza regurgitării". În realitate, acei bieți copii mor din cauza *sindromului morții imprevizibile în leagăn* (abrevierea internațională este SIDS) și care, în spasmul morții, pot chiar să regurgiteze. În rest, puteți pune copilul cu burtica în sus, dar la puțin timp el va adopta poziția care i se potrivește pentru a dormi.

Copilul poate să doarmă cu capul întors numai pe aceeași parte?

Desigur, copilul poate și trebuie să doarmă sprijinindu-și capul cum îi place. Nu poziția este cea care duce la deformarea cutiei craniene. Deformările aparente nu trebuie să vă preocupe, deoarece se corectează în mod spontan; de fapt, capul copilului este alcătuit din oase moi și se poate modifica atât datorită prezenței fontanelei, cât și suturilor neosificate încă.

Ce anume să facem dacă bebelușul se dezvelește în timpul nopții?

Nu-l acoperiți cu materiale grele sau, pur și simplu, evitați să le folosiți. Dacă se dezvelește sau transpiră în timpul nopții, o face pentru că îi este cald. Dacă este îmbrăcat și acoperit în mod adecvat și doarme într-un mediu cu temperatură adecvată (18-20 °C), nu va transpira și nici nu se va dezveli. Să nu îl subestimăm, ca de obicei.

OBIECTELE UTILE

Este necesar să cumpărăm sau să închiriem un cântar?

Un cântar este util, mai ales în primele luni. La început, poate fi deosebit de practic, dacă vi se dă sfatul de a face așa-zisa „cântărire dublă" pentru a controla cantitatea de lapte matern pe care o consumă copilul și pentru a putea stabili, definitiv, alimentația acestuia. După primele cincisprezece zile, cântarul vă servește doar pentru a evalua creșterea: de fapt, corectitudinea alimentației și starea de sănătate a unui copil se deduc din creșterea constantă a greutății acestuia.

Este adevărat că micuțul trebuie cântărit numai cu același cântar?

Da, copilul trebuie cântărit numai cu același cântar. Una dintre cele mai frecvente dezamăgiri ale mamei este aceea de a constata diferența între greutatea declarată la ieșirea din spital și prima cântărire efectuată acasă. Uneori, nu pare să fi crescut. Din această cauză, valoarea inițială a greutății, care se ia ca referință pentru evaluarea creșterii, trebuie să fie cea înregistrată de propriul cântar. Operațiune ce trebuie efectuată imediat ce se ajunge acasă după plecarea din maternitate.

Copilul poate fi pus pe scăunel (*infant seat*) cam prin luna a treia. Totuşi, nu grăbiţi acest moment: trebuie să aşteptaţi până când reuşeşte să îşi ţină capul ridicat. Mai întâi, vedeţi dacă poate sta, fără greutate, în poziţie înclinată şi, mai ales, dacă o astfel de poziţie îi convine sau îi provoacă indispoziţie fizică. Momentul folosirii scăunelului este important pentru dezvoltarea psihomotorie a copilului, care, în acest fel, începe să ia parte la viaţa familiei. Scăunelele au diferite posibilităţi de înclinare: iniţial, trebuie să se înceapă cu înclinarea cea mai joasă. Când copilul se obişnuieşte cu scăunelul, îi puteţi da să mănânce în această poziţie.

Când putem pune copilul pe scăunel?

Da, ca multe alte instrumente ce dau copilului o autonomie superioară celei permise de dezvoltarea sa normală. Atenţie! Nu puneţi niciodată scăunelul pe masă sau pe locuri înalte: trebuie să stea jos, iar dacă îl puneţi pe un loc la înălţime (dar este o greşeală!), trebuie ţinut sub un control strict. Deseori, nici supravegherea din partea unui adult nu este suficientă: de fapt, cea mai mare parte dintre traumele sau fracturile craniene la sugar se datorează căderii sau rostogolirii unui *infant seat* de pe masa din bucătărie. De fapt, se poate întâmpla ca mama să nu stea cu ochii pe copil doar pentru câteva clipe, fie doar şi pentru a răspunde la telefon, şi chiar atunci se produce neprevăzutul. Dacă vreţi să ţineţi micuţul pe un plan mai ridicat, acesta trebuie să fie înconjurat de elemente greu de trecut, ca de pildă între marginile leagănului sau în pătuţ, sau pe un fotoliu protejat de spătarul unui alt fotoliu.

Scăunelul poate fi periculos?

Când putem așeza copilul pe un scaun înalt?

Puteți așeza copilul pe un scaun înalt din clipa în care stă bine în poziția șezând (lucru care se întâmplă de obicei după luna a șasea). Folosiți-l mai întâi doar în timpul meselor și nu lăsați niciodată copilul singur, chiar dacă vi se pare că se află în siguranță datorită faptului că este bine legat. Când aceștia încep să se miște automat, este indicat să nu folosiți scăunele sau scaune. Ideal este să îl lăsați să se miște liber pe pardoseală.

Se poate folosi țarcul?

Țarcul este o închisoare, sau un spațiu închis care îl ferește pe copil de pericole? Sau este o structură care, în mod paradoxal, îl face pe copil să creadă că și restul lumii se află în închisoare? Acestea sunt chestiunile ce trebuie dezbătute de către psihologi. În realitate, țarcul, lăsând la o parte expunerile savante sub aspect psihologic, se poate dovedi a fi un echipament foarte util. De fapt, îi dă copilului posibilitatea de a avea la dispoziție un spațiu relativ mare, în care să se miște fără a fi supus vreunui pericol. Desigur, soluția ideală ar fi aceea de a lăsa copilul liber într-o cameră, toată numai pentru el. În acest caz, camera trebuie să fie lipsită de pericole. Atenție la prize, la firele de curent electric, la colțuri ascuțite, la mobilierul pe care îl poate trage peste el! Totuși, această soluție este teoretică, deoarece nu toți au la dispoziție o cameră dotată în mod adecvat numai pentru copil. În acest caz, este bun și țarcul, fără a genera vreo problemă.

Se poate folosi premergătorul?

Și da, și nu. Premergătorul trebuie folosit cu mare atenție, deoarece îi dă copilului o autonomie care, în realitate, nu îi este permisă de dezvoltarea sa psihomotorie. Și tocmai din această cauză devine periculos: îi dă, de fapt, posibilitatea de a se deplasa unde dorește. Atenție la bucătărie, sobe de gătit, mese pe care sunt vase, feluri de mâncare calde, colțurile ascuțite ale meselor și mobilelor, trepte etc. Nu este deloc adevărat că micuții învață să meargă mai întâi cu ajutorul premergătorului: mai degrabă contrariul. În orice caz, premergătorul poate fi comod în unele situații. Touși, întotdeauna trebuie folosit numai sub supravegherea părinților.

ÎMBRĂCĂMINTEA

În prezent, problema hainelor copilului este ușor de rezolvat. Pe piață se găsesc haine de toate tipurile, culorile, modelele, dar primul lucru pe care îl recomandăm mamelor este comoditatea. Pe lângă faptul că faceți un lucru pe placul copiilor dumneavoastră, îi veți ajuta și pe medicii pediatri, care știu cât anume din timpul unei vizite se irosește încercând să descheiați nasturii sau să desfaceți cordoanele unor hăinuțe deosebit de complicate. Principalele recomandări sunt două: *nu îmbrăcați prea mult copilul și spălați întotdeauna lucrurile noi înainte de a le folosi.*

Cum îmbrăcăm copilul?

„Greutatea" hăinuțelor pentru copii trebuie să fie în funcție de temperatura mediului în care se află copilul. Dacă mama, din cauza frigului, îi pune o căciuliță, acest fapt este justificat, dar numai în această situație. Prin aceasta vreau să spun că nu trebuie să uitați că senzațiile și reacțiile față de temperatură sunt aceleași atât pentru adult, cât și pentru copil. Cu alte cuvinte, dacă termometrul indică sub zero grade pentru dumneavoastră, la fel indică și pentru copil, dacă indică 30 °C, este valabil și pentru el. Deci, copiii trebuie să fie îmbrăcați cu hăinuțe care au aceeași „greutate" și pentru adulți. Câte mame se

Cum să alegem greutatea îmbrăcăminții?

mira, pe timp de iarnă, în timpul plimbării, atunci când simt că mânuțele micuților lor, care stau în cărucior, sunt „tot calde"! Copiii nu suferă de frig mai mult decât adulții, iar a-i acoperi prea mult înseamnă să le creați un disconfort.

Ce anume să îi punem direct pe piele?

Ca îmbrăcăminte care vine în contact cu pielea, trebuie să folosim numai hăinuțe din bumbac. La întrebarea frecventă dacă este mai bine să folosim tricoul sau maioul, trebuie să vă spun că, atunci când este vorba de îmbrăcăminte, copilul își creează o rutină, căci dacă l-am obișnuit să poarte tricou, atunci va trebui să i-l punem întotdeauna, lucru valabil și pentru maiou. Din fericire, cu trecerea generațiilor, lenjeriile intime și-au redus grosimea și greutatea. Atunci, de ce să nu luăm o decizie pentru copiii noștri: nici tricou, nici maiou. Dacă frigul se accentuează, copii pot fi îmbrăcați cu hăinuțe mai groase.

MEDIUL

Care trebuie să fie temperatura mediului din casă?

Temperatura ideală pentru mediul în care stă micuțul este de 20°C. În realitate, nu întotdeauna este posibilă menținerea acestui nivel: în timpul verii se ajunge ușor la 30°C și chiar mai mult, dar și în timpul iernii, prin sisteme de încălzire ce nu respectă cele mai elementare norme ecologice, se pot depăși 23-24°C. În general, mamele nu își fac griji cu privire la temperaturile ridicate, ci mai degrabă cu privire la cele scăzute. În schimb, micuțul pare să sufere mai degrabă de cald decât de frig. Deci, este bine să nu-l obișnuim să stea într-un ambient cu temperaturi ridicate și, în orice caz, îmbrăcămintea trebuie să fie adecvată. Nu frigul, ci variațiile termice bruște sunt cele care îi dăunează. Copilul poate suporta orice variație atâta timp cât este îmbrăcat în funcție de temperatura mediului în care stă.

Nu. Copiii noștri sunt născuți în epoca aerului condiționat și deci (ferice de ei) trebuie să se poată bucura de această înlesnire. Se obișnuiesc imediat și nu suferă datorită unor ipotetice „indispoziții cauzate de aerul condiționat". În prezent, toate automobilele sunt dotate cu această „opțiune" care face călătoriile plăcute și mai puțin obositoare, îmbunătățind net calitatea vieții. Același lucru este valabil și pentru locuințele în care aerul condiționat este din ce în ce mai folosit. Dacă este folosit rațional, în general coborând temperatura externă cu 3-5°C, nu îi va mai dăuna copilului în niciun fel.

Aerul condiționat îi face rău copilului?

Da, mai ales în perioadele de iarnă, când încălzirea este excesivă, este oportun să creșteți umiditatea mediului. De la tradiționalele lighene puse pe calorifere sau de la fierberea unei oale cu apă (care este mai folositoare), până la cele mai sofisticate aparate pentru umezirea ambientului, toate duc la scăderea gradului de umiditate. Iar aburirea geamurilor nu este un lucru negativ.

Trebuie să creștem umiditatea mediului?

„ÎNTREȚINEREA" NOU-NĂSCUTULUI

Cordonul ombilical este un organ care unește mama de copil, garantându-i acestuia din urmă, prin intermediul circulației sangvine, toată hrana necesară pentru creștere în timpul vieții intrauterine. Conține o venă care duce sângele mamei la făt și două artere care duc sângele în direcție opusă.

Care este funcția cordonului ombilical?

Ce este ciotul ombilical?

La naștere, cordonul ombilical este tăiat, lăsându-se un ciot scurt (a cărui lungime este de circa 3-5 cm) situat în centrul abdomenului (adică locul buricului). Ciotul ombilical are o culoare alb-gri și o consistență moale. Treptat, acesta se usucă, luând o culoare negricioasă și o consistență dură. Acest fenomen, numit *mumificare*, duce la căderea ciotului în circa 7-10 zile. Pentru a favoriza desprinderea este important să acționați prin intermediul unor îngrijiri simple (tratament pentru ciotul ombilical) care sunt inițiate chiar din maternitate și sunt apoi continuate de către mamă când se întoarce acasă, unde ciotul va cădea după ce se va usca complet.

Cum să tratăm ciotul ombilical?

Baza, adică limita dintre pielea normală și ciot, trebuie să fie înconjurată și strânsă cu o fâșie subțire din fașă sterilizată, răsucită și îmbibată în alcool (subliniez, alcool!), pentru a putea strangula ciotul la bază, în timp ce restul trebuie înfășurat cu o fașă sterilă. Acest tip de tratament se efectuează de mai multe ori pe zi (3-4 ori), mai ales dacă fașa este umezită sau murdară. În acest fel, se accelerează procesul de mumificare și cădere și se previn infecțiile, care, într-o vreme, erau frecvente și periculoase, dar care aproape că au dispărut în prezent.

Tratarea ciotului ombilical este dureroasă?

Nu. Tratarea ciotului ombilical este o operațiune pe care multe mame o efectuează cu teamă dar, contrar a tot ceea ce se crede și se spune, nu îi provoacă micuțului nici durere și nici disconfort, fapt pentru care trebuie acționat zilnic, fără niciun fel de teamă (dacă copilul plânge, o face deoarece simte răceala provocată prin aplicarea alcoolului sau a apei oxigenate).

Dacă tratamentul este urmat în mod corect, ciotul cade după 7-10 zile de la naștere; dacă nu, nu trebuie să vă alarmați, ci să consultați o asistentă medicală sau un medic pediatru care trebuie să verifice dacă tratamentul a fost urmat corect și dacă ciotul nu s-a infectat. Dacă după 10-12 zile, ciotul încă nu a căzut, trebuie legat strâns la bază, cu un fir adecvat, sau chiar tăiat cu o foarfecă sterilă (operațiune care trebuie efectuată numai de un medic sau de către o asistentă medicală).

După cât timp se desprinde ciotul ombilical?

După căderea ciotului ombilical, rămâne o rană mică ce se transformă rapid într-o cicatrice care coboară spre interiorul abdomenului. Uneori, ombilicul nu se lasă în jos, ci rămâne la nivelul pielii abdomenului, sau chiar în relief. Sfatul meu este să fiți în continuare prudente timp de câteva zile după căderea ciotului, dezinfectând mica rană cu ajutorul câtorva picături de apă oxigenată sau cu un dezinfectant obișnuit, și să o acoperiți cu o fașă sterilă, o dată sau de două ori pe zi. Uneori, se întâmplă ca din cicatricea ombilicală să se scurgă puțin sânge sau ser. Este un fapt frecvent și firesc. Este suficient să dezinfectați locul timp de câteva zile. După ce au trecut 2-3 zile de la căderea ciotului ombilical, puteți începe să îi faceți baie copilului, spălând, fără teamă, și zona din jurul ombilicului.

Ce să facem când ciotul ombilical a căzut?

Complicațiile sunt extrem de rare; totuși, dacă pielea din jurul ombilicului se înroșește, dacă rana secretă o substanță gălbuie cu miros urât, sau curge sânge în cantitate semnificativă, sau dacă se scurge un lichid asemănător urinei, este necesar să consultați medicul imediat.

Pot să apară complicații după căderea ciotului?

Este adevărat că uneori ombilicul „rămâne în afară"?

Da, uneori ombilicul nu se scufundă și rămâne la nivelul pielii abdomenului sau chiar iese în afară, caz în care se vorbește despre ombilic extroflex. Este o variantă normală, care nu cere nicio îngrijire deosebită: cu trecerea timpului, va dispărea. Nu trebuie să îl confundați cu hernia ombilicală!

Ce este hernia ombilicală?

Unii copii, și cu o frecvență majoră cei născuți înainte de termen, prezintă, după căderea ciotului ombilical, o protuberanță la nivelul ombilicului, care depășește limitele circumferinței ombilicului ca atare și seamănă cu un fel de delușor, în relief față de abdomenul înconjurător. La palpare, se observă o consistență destul de moale și elastică și, la o apăsare ușoară, se aud un soi de gâlgâituri. Când copilul plânge sau tușește, depune un efort, iar această tumefiere devine puțin întărită și, mai ales, mult mai groasă și mai ridicată. Această protuberanță reprezintă *hernia ombilicală*. De obicei, devine vizibilă încă din primele zile de viață, apoi continuă să se îngroașe în tot timpul primei luni și o parte din luna a doua.

Hernia ombilicală trebuie să ne preocupe?

Nu, deoarece este o formațiune cu totul și cu totul benignă! Copilul nu are nici dureri și nici disconfort, se hrănește și crește în mod normal; nu există niciun pericol, din moment ce complicațiile, adică *hernia „încarcerată"* sau *„sugrumată"* sunt foarte rare. Hernia de dimensiuni mici se retrage în decurs de câteva luni, când se va încheia procesul de fortificare musculară a peretelui abdominal din jurul ombilicului. *Cea mai bună terapie este așteptarea!*

Dacă diametrul adânciturii este mereu deschis, adică *poarta herniară* are un diametru de circa 4 cm (cazuri foarte rare), probabil că hernia nu se rezolvă de la sine. Și în acest caz, conform părerii majorității medicilor, cel mai bun tratament este așteptarea, dar este necesar, totuși, să cereți părerea unui medic chirurg pediatru.

Ce să facem atunci când hernia este foarte voluminoasă?

Este inutilă orice manevră sau intervenție de genul acelora care erau indicate odinioară: să faceți un fel de pliu cu pielea strânsă în jurul ombilicului și să îl fixați cu un plasture sau să aplicați un plasture circular ombilical ce conține o monedă. O hernie care dispare în urma unui astfel de tratament, fiți convinse că se va rezolva și fără acesta. Sunt utile controalele periodice la un medic chirurg, cu atât mai bine dacă acesta este un chirurg pediatru.

În timpul cât suntem în așteptare, se poate face ceva?

Ca pentru toate aspectele medicinei, nu există reguli absolute. Unii chirurgi sugerează ca intervenția chirurgicală să fie efectuată mai devreme, alții au tendința de a o amâna. Datorită faptului că hernia ombilicală nu are influență asupra creșterii normale a copilului, ci mai degrabă asupra calității vieții acestuia, ar putea fi indicat ca termen momentul în care acesta începe să desfășoare o activitate sportivă, dat fiind faptul că hernia ar putea-o împiedica. La fete, din motive legate de viitoare sarcini, este mai bine să fim ceva mai atenți și, tot prin consultarea unui medic chirurg pediatru, să stabilim operația în jurul vârstei de 3 ani: intervenția chirurgicală este foarte simplă și fără niciun fel de pericole, chiar dacă hernia este voluminoasă.

Când este necesar să recurgem la intervenție?

IGIENA

Când să îi facem prima băiță?

Prima băiță trebuie făcută cât mai curând, apoi trebuie să devină o practică zilnică pentru starea de bine a micuțului și, mai ales, pentru sănătatea acestuia (nu uitați că micuțul își face nevoile în scutece și, din păcate, deseori transpiră abundent, deoarece este prea îmbrăcat). Băița se va face în fiecare zi, deoarece copilul, ca și adultul, preferă să facă zilnic aceleași lucruri. Trebuie să devină o obișnuință plăcută, și pentru a fi așa, trebuie să o facă zilnic: micuțul se distrează în apă, nu plânge niciodată și după baie este cu siguranță mai relaxat.

Se poate face baie chiar și atunci când ciotul ombilical nu a căzut încă?

Este mai bine să așteptați ca ciotul ombilical să cadă și zona respectivă să se cicatrizeze. În general, poate face băiță, fără nicio problemă, la 3 zile după desprinderea ciotului. Băița făcută înainte de cădere nu prejudiciază sănătatea copilului cu absolut nimic, dar este indicat să așteptați deoarece, așa cum s-a spus, ciotul ombilical cade în urma unui proces numit mumificare (simplu spus, uscare), iar baia ar duce la prelungirea timpului necesar pentru desprindere.

Ce săpun să folosim?

Trebuie să folosiți apă și săpunurile normale pentru copii, cu cele mai cunoscute mărci. Trebuie să săpuniți capul, fața (repet, fața!), corpul, trebuie să îl clătiți pe micuț cu apă din abundență și să îl ștergeți cu un prosop moale. Trebuie să fiți foarte atenți să nu lăsați umed interiorul pliurilor pielii, atât ale articulațiilor (ca de pildă axile, coate, zona inghinală) cât și ale organelor genitale, mai ales cele feminine.

Temperatura apei trebuie să fie cuprinsă între 37,5 și 38 °C. O practică obișnuită este aceea de a încerca apa cu cotul. Temperatura camerei trebuie să fie cu circa 1 sau 2 °C superioară celei obișnuite din casă.

Care este temperatura corectă?

Înainte de una dintre mese și probabil (dar nu obligatoriu) la aceeași oră în fiecare zi. O bună soluție, de exemplu, poate fi ora la care tăticul sosește acasă. Astfel, băița poate deveni un moment extraordinar de cunoaștere și socializare între părinți și copii.

Care este momentul cel mai indicat pentru băiță?

În afară de aspectul igienic fundamental și de influența relaxantă pe care o are, baia face ca pielea copilului să fie perfect hidratată și moale.

Care este utilitatea băii?

Băița trebuie făcută în camera de baie, deoarece, în general, spațiul este mic și, deci, mai ușor de încălzit pe timp de iarnă, și prezintă avantajul de a avea apă curentă la îndemână. Se pot folosi aparaturi sofisticate produse special pentru copii, dar se poate folosi și cădița din plastic, care este și mai comodă. Este util să aveți la îndemână atât o mușama, cât și hăinuțele curate, pentru schimb. Aveți grijă să nu lăsați copii singuri pe salteluța pentru înfășat, pentru a vă îndepărta să luați vreun obiect necesar. Este important să pregătiți dinainte tot ceea ce vă trebuie: mama trebuie să sprijine copilul trecându-și brațul stâng pe sub subsoara dreaptă a micuțului, astfel încât să îi susțină capul cu mâna. În cazul în care sunteți stângace, evident, folosiți brațul drept pentru sprijin. Trebuie să folosiți produse pentru copii, cu mărci bune, și trebuie să săpuniți bine tot corpul, inclusiv fața (consider că trebuie să subliniez din nou acest lucru) și capul. Așa cum face un adult când face duș!

Cum trebuie procedat în practică?

Cât trebuie să dureze băița?

Durata unei băițe poate varia între 5 și 10 minute cel mult. La sfârșit, aveți grijă să ștergeți perfect copilul și să îl îmbrăcați cât mai repede posibil.

Este necesar să folosim creme și pudră de talc după baie?

Nu este neapărat necesară folosirea produselor cosmetice. Atenție la pudrele de talc, care usucă pielea, astupă porii și pot fi inhalate, mai ales dacă micuțul plânge. Este suficient să folosiți apă și săpun pentru copii, o marcă bună, și pielea copilului va fi perfectă. Dacă veți continua în acest fel, veți avea copii „curați și uscați".

Baia zilnică îl slăbește pe copil?

Mi se pare incredibil, dar și azi se mai aud aceste lucruri. Mai sunt unii care afirmă: „Nici măcar cei mari nu fac baie în fiecare zi". Noi, medicii pediatri, trebuie, din păcate, să combatem aceste prostii și în ziua de azi, în timp ce ne dorim din tot sufletul ca noile generații să se familiarizeze cu practicarea zilnică a igienei corporale! Aș dori să se înțeleagă faptul că legătura dintre copii și apă este mai strânsă decât se crede: de fapt, copilul a stat mult timp, înainte de naștere, în pântecele matern, într-un mediu lichid, și corpul său este alcătuit în mare parte din apă. Deci, este absolut eronat să rupeți această legătură ancestrală. În plus, mi se pare corect să vă spun că băița nu trebuie să devină o obsesie cotidiană. Desigur, nu vor ajunge în această situație părinții care au atins un asemenea nivel de „maturitate igienică" și pentru care baia zilnică constituie o rutină și nicidecum un eveniment excepțional.

Când să evităm să îi facem băiță?

Adevăratele motive pentru a evita baia sunt foarte puține. Aceasta poate fi suspendată timp de câteva zile în cazul bolilor febrile. Din păcate, există mame care se agață de orice motiv pentru a evita baia. De-seori se spune: „Nu i-am făcut baie pentru că este răcit". Este o greşeală, deoarece, în caz că se întâmplă aşa ceva, răceala se vindecă de pe urma atmosferei cald-umede care se creează în camera de baie. Este cunoscută utilitatea vaporilor calzi în vindecarea răcelilor! În alte cazuri, scuza este de genul: „mi-e teamă ca nu cumva copilul să alunece în apă, şi dacă nu este şi soţul cu mine, nu mă simt în stare". În re-alitate, este necesar să vă amintiţi că nou-născutul a trăit, în timpul gravidităţii, într-un mediu acvatic şi, astfel, chiar dacă ar aluneca în cădiţă, ar şti cum să se comporte, încetând, automat, să respire. Pe scurt, copilul nu se îneacă. Este de ajuns să vă gândiţi, pen-tru a vă linişti, la tehnica, deja cunoscută, de a naşte în apă. Totuşi, mama căreia îi este teamă ar face mai bine să aştepte întoarcerea tăticului.

Putem schimba copilul între o masă şi cealaltă?

Da. Copilul dobândeşte controlul asupra eliminării fecalelor şi urinei la mult timp după naştere, fapt pen-tru care se murdăreşte dacă este ţinut în scutece pline de fecale şi urină. Acestea reprezintă una dintre cauzele iritării pielii sale delicate şi, deci, trebuie să fie îndepărtate cât mai repede posibil, pentru a evita în-roşirea sau rănirea funduleţului. Înroşirea acestei părţi a corpului său este datorată, întotdeauna, unei igiene proaste! Copilul, mai ales dacă este alăptat la sân, se murdăreşte, aproape întotdeauna, în timpul sau imediat după mese şi, din păcate, nu întotdeauna este schimbat imediat. Motivele invocate sunt de tipul: pentru că i se face frig şi nu digeră, pentru că este zdruncinat şi deci regurgitează. Datorită acestor motive „deosebit de ştiinţifice", copilul este lăsat, până la masa următoare, cu această „compresă" de fecale, care deseori sunt acide şi deosebit de iritante.

Există alergie la scutece?

Datorită atitudinii eronate cu privire la gestionarea igienei copilului, apare atitudinea obișnuită de a da vina pe scutecele sau pe chiloțeii moderni. Se vorbește despre dermatită cauzată de scutec, sunt invocate alergii dar, în realitate, nu este decât o chestiune de igienă. Un copil căruia i se îndepărtează imediat fecalele și urina (ceva mai greu aceasta din urmă, deoarece este mai frecventă și mai... silențioasă), cu greu va suferi înroșiri ale pielii. Dacă, totuși, în ciuda tuturor măsurilor luate, copilul are fundulețul roșu, atunci este vorba de o *micoză* (datorată, în general, ciupercii care produce erupția) sau de o *eczemă*. În aceste cazuri este necesar să tratați, în mod specific, micoza sau eczema, și totul se va rezolva într-o săptămână.

Cum să curățăm năsucul?

Pentru a curăța nasul micuților trebuie să efectuați spălări delicate cu o soluție fiziologică și să aspirați mucozitatea cu ajutorul unei pompițe.

Soluția fiziologică pusă în năsuc este de folos real?

Dacă ambientul este destul de uscat, sau dacă micuțul respiră cu zgomot, sau dacă este răcit, câteva picături de soluție fiziologică (mai ales înainte de masă) pot fi utile și în mod sigur nu sunt dăunătoare copilului.

De ce, uneori, nou-născuți și sugarii strănută?

Nou-născuții și sugarii strănută frecvent. În multe cazuri, strănutul nu este neapărat un simptom al răcelii. Nu este vorba decât de un mecanism natural pentru a elimina impuritățile ce s-au acumulat în nas, în timpul zilei, prin respirație sau regurgitări. Copilul strănută mai frecvent atunci când este schimbat nu pentru că, așa cum se crede, îi este frig, ci pentru că, în acest moment, este mai dezvelit și mai activ și atunci și reacțiile lui sunt mai vioaie. De obicei, pentru nou-născut și sugar se prescriu spălături cu picături de ser fiziologic. Folosiți-le dacă observați că respiră cu zgomot, iar dacă nu o face, atunci, pentru a-i umezi nările, este suficient să creșteți umiditatea mediului.

Trebuie să spălăm urechile sugarilor?

Da. Curățarea constă în îndepărtarea unui eventual exces de cerumen, care trebuie efectuată cu ajutorul bețișoarelor cu vată îmbibată cu ser fiziologic (mai bine dacă este este ușor încălzit). Cerumenul are o culoare galben-maronie și nu trebuie confundat cu alte secreții: seroase alburii, alb-gălbui sau amestecate cu sânge, care, de fapt, indică existența unei infecții. Operațiunea de curățare trebuie făcută cu deosebită delicatețe, pentru a evita rănirea canalului auditiv. Unii medici orelişti vă sfătuiesc să nu faceți această curățare acasă, tocmai pentru a evita acest lucru. Curățarea este, însă, o cerință fundamentală, nu numai pentru a preveni formarea dopurilor, ci și din motive de igienă și estetice. Faceți acest lucru, dar cu multă delicatețe!

Ce se înțelege prin „ostalgie"?

Mai întâi trebuie să clarific faptul că un copil care prezintă dureri de urechi, numite și *ostalgie*, nu este un copil care suferă de *otită* (adică o boală inflamatorie a urechii), ci are, pur și simplu, o durere în zona urechii. Nu este un fenomen foarte frecvent și poate fi cauzat de suptul puternic sau de regurgitări frecvente. Poate fi cauza plânsului care se manifestă în timpul suptului. Mai exact, copilul începe să sugă cu putere și, la un moment dat, abandonează sfârcul sau biberonul și izbucnește în plâns, și nimic nu îl poate face să se liniștească și să reia suptul. Ostalgia se evidențiază prin apariția unui plâns imediat și violent, însoțit de o mișcare bruscă de a îndepărta capul de presiunea exercitată asupra părții anterioare a urechii (de pe partea din fața canalului). În schimb, dacă micuțul plângea deja, în momentul apariției presiunii plânsul va deveni și mai puternic, și tot însoțit de mișcarea capului. Ostalgia este o tulburare foarte banală, chiar dacă este sâcâitoare și greu de eliminat, deoarece, de fiecare dată când copilul suge se creează condiții pentru a reacutiza durerea. Se vindecă doar cu ajutorul unor picături otologice care conțin un anestezic și care se pun în canalul auricular. Totuși, fiți atente să nu exagerați, deoarece, în caz de otită cu perforație a timpanului, se riscă agravarea situației. Cereți întotdeauna sfatul medicului pediatru.

Trebuie să tăiem unghiile nou-născutului și ale sugarului?

Bineînțeles. Copilul se naște cu unghii bine formate, dezvoltate complet și, mai ales, acestea își continuă creșterea. Multe mame fac față acestei mici operațiuni cu o oarecare neliniște, cauzată de teama justificată de a nu face rău copilului. Trebuie să folosiți forfecuțe speciale, cu vârf rotunjit. Este foarte important să țineți copilul nemișcat, pentru a evita ca acesta să facă mișcări bruște și, de aceea, este preferabil ca operațiunea să fie făcută în doi: unul ține copilul, în timp ce celălalt îi ține mânuța. Dacă nu le sunt tăiate unghiile, deseori unii copii, îndeosebi cei agitați, se pot zgâria. Pe măsură ce copilul crește, unghiile trebuie tăiate mai des, deoarece sub ele, în timp ce se joacă pe jos, se poate aduna murdărie, care poate deveni sursă de infecție. Din păcate, am avut ocazia să aud că unii sfătuiesc ca unghiile să nu fie tăiate chiar de la început. Nu înțeleg logica; este vorba de sfaturi proaste, care le fac pe mame să mai adauge o temere la cele existente cu privire la gestionarea unor probleme normale de îngrijire a copilului.

Cum trebuie îngrijiți ochii?

La naștere și în primele zile de viață, ochii copilului pot fi tumefiați și, foarte rar, după sarcini chinuitoare, cu mici hemoragii în interiorul acestora. Aceste fenomene, cauzate de efortul din timpul nașterii, sunt banale și dispar rapid: tumefierea în 2-3 zile, micile hemoragii în decurs de 2-3 săptămâni. Uneori poate să apară și o secreție gălbuie, în general în primele 2-3 zile de viață, când copilul este încă în creșa maternității. Este vorba despre o infecție contractată în timpul nașterii. În general, pentru a o trata în scurt timp, la plecarea din maternitate, i se prescriu un colir și un unguent oftalmic. Dacă acest lucru se manifestă acasă, mai întâi trebuie să ștergeți și să îndepărtați secreția, folosind un tampon din bumbac steril îmbibat cu ser fiziologic, începând delicat dinspre partea interioară a ochiului spre cea exterioară (câte un tampon pentru fiecare ochi), apoi se aplică colirul sau unguentul de 2-3 ori pe zi, conform indicațiilor medicului. În condiții normale, ochii copilului nu au nevoie de îngrijiri deosebite. În timpul băiței, ochii trebuie spălați în timp ce se șterge fața. Dacă prezintă vreo secreție, folosiți, și în acest caz, tampoane din bumbac îmbibate cu soluție fiziologică. Nu trebuie să folosiți un singur tampon pentru ambii ochi, ci tamponul trebuie schimbat pentru a evita transportarea unor eventuale infecții de la un ochi la celălalt.

Unii copii suferă de lăcrimare excesivă; despre ce anume este vorba?

Unii copii pot prezenta o lăcrimare excesivă, continuă sau intermitentă, la un singur ochi (acest fenomen este rareori bilateral), care apare în primele zile de viață și care poate dura timp de câteva luni. Lăcrimarea, deseori însoțită și de o secreție, este alburie (nu gălbuie sau galbenă), se intensifică atunci când copilul este dus la plimbare și vine în contact cu aerul mai rece și, evident, atunci când plânge. Este vorba de o mică anomalie numită *stenoza canalului naso-lacrimal*. Să vă explic mai bine: ochiul este dotat cu un mic canal care pleacă din partea internă a marginii ploapei inferioare și care se termină în nas (canalul naso-lacrimal); acest canal funcționează ca un jgheab care descarcă în nas secreția oculară normală (ochiul trebuie să fie în permanență umed și, astfel, secreția lacrimală este constantă). Dacă acest mic canal este parțial sau total astupat, secreția se revarsă și iată că, în acest fel, generează o lăcrimare intermitentă sau constantă. Această mică anomalie dispare, de regulă, în primele șase luni de viață și rareori se prelungește până la un an. Tratamentul constă în îndepărtarea secreției cu ajutorul unei soluții fiziologice sterile. Este inutil să recurgeți la colir.

Ce anume să facem pentru piele?

Pielea copilului este foarte delicată. În primele zile de viață poate fi înroșită sau cu coji și uscată. În decurs de câteva zile, roșeața dispare și pielea devine rozalie (medicul pediatru care e bun specialist poate ghici zilele de viață ale unui copil în funcție de coloritul pielii). Pielea uscată, care se cojește, necesită câteva zile pentru a se vindeca, iar dispariția ei va face posibilă prima băiță. Baia și curățenia, în general, sunt cei mai buni prieteni ai pielii. Multe pete, unele zone înroșite și mici pustule sunt cauzate de o curățenie inadecvată. Deja după 15 zile de viață, dacă micuțul nu este spălat cu atenție, încep să apară primele probleme ale pielii.

De ce apar mici pete sau înroșiri ale pielii?

În prima lună de viață, apariția pe față a unor mici pete roșii sau a unor mici pustule roșii cu vârfuri albe, în general sub ochi, pe obraji sau pe frunte, poate fi efectul unei igiene proaste. Pielea copilului trebuie curățată cu apă curată și, cel puțin o dată pe zi, cu un săpun bun pentru copii. O grijă deosebită se acordă cutelor, gâtului, axilelor și zonei inghinale. În fiecare dintre aceste zone, sudoarea, resturile de lapte, urina sau fecalele provoacă ușor înroșiri și iritații. Deci mai ales aceste părți ale corpului trebuie să fie spălate foarte bine, uscate cu atenție și, deseori, lăsate să respire la aer, fără îmbrăcăminte. O atenție deosebită trebuie acordată petelor sau micilor puncte roșii care apar pe tot corpul, sau numai pe o parte a acestuia (este vorba tot despre pielea unui sugar), pentru a evita un diagnostic eronat. Diagnosticele empirice efectuate cel mai frecvent sunt: digestie proastă, intoleranță față de lapte sau o boală infecțioasă. Din păcate, sau din fericire, aceste diagnostice se dovedesc a fi, aproape întotdeauna, eronate. În realitate, intoleranța sau proasta digerare a laptelui se manifestă prin simptome foarte precise și lipsite de echivoc: diareea și o stagnare a creșterii. Bolile infecțioase se manifestă, întotdeauna, prin febră și nu trebuie să uitați că, în primele luni de viață, rareori se manifestă la copil bolile infecțioase exantematice.

Da, acest fenomen poartă numele de *spuzeală* și este caracterizat de apariția unor punctișoare sau a unor mici pete roșii pe tot corpul, cu o intensitate deosebită în zonele cu transpirație majoră: cutele gâtului, obraji, axile. Este caracteristică pentru lunile de vară, mai ales cu o căldură umedă, dar pot să apară și iarna în case extrem de încălzite și la copii excesiv de îmbrăcați. Spălarea frecventă, chiar și numai cu apă, atenuează fenomenul care, de altfel, nu îi crează copilului niciun fel de indispoziție. Cu privire la micile pete, un diagnostic, care, în general, îi dezamăgește și mai ales nu îi convinge pe părinți, este

Sudoarea poate provoca înroșiri ale pielii sugarului?

acela al „înțepăturilor de insecte". În anumite ano-timpuri, nu neapărat vara, unii copii, mai ales dacă trăiesc în zona de câmpie sau în oraș, în apropierea zonelor cu pomi sau grădini, sau copiii care sunt scoși, așa cum este bine, în aer liber, pot să prezinte furuncule mici și înroșite care, examinate cu atenție, au un punct roșu în centru. Aceste mici furuncule, ușor de observat și cu o consistență crescută, seamă-nă cu înțepăturile de insecte, și chiar asta și *sunt*. De fapt, la o observare atentă (acesta este un semn deci-siv), se vede că acestea sunt prezente numai pe părțile descoperite, față, brațe, mâini, picioare. În ciuda acestui fapt, părinții sunt deseori nesatisfăcuți și nu prea convinși.

6. Plânsul

Plânsul este mijlocul cel mai eficient pe care copilul îl folosește pentru a comunica cu exteriorul și pentru a se face auzit. De fapt, o face „cu glas tare". Plânsul puternic și ferm nu exprimă numai o stare fizică proastă, ci și o nevoie, o necesitate sau o cerință care nu i-au fost satisfăcute. Nu întâmplător plânge copilul dacă îi este foame, dacă s-a murdărit, adică în situații care nu presupun durere, ci pur și simplu îi creează o stare de disconfort. Copilul știe să își folosească limbajul, mai întâi prin comportament și apoi prin cuvinte, prin care exprimă, în mod clar, care sunt nevoile lui. Plânsul este expresia unui astfel de limbaj. Părinții trebuie să învețe să îl înțeleagă. Această introducere este fundamentală, deoarece îi face pe părinți să înțeleagă că nu trebuie neapărat să dramatizeze fenomenul plânsului. Este normal ca, îndeosebi în prima perioadă, un nou-născut care plânge mult să solicite înțelegere și să creeze o oarecare indispoziție adulților din preajma lui. Pentru a-i liniști pe părinți este suficient să îi facem să înțeleagă că dacă bebelușul are forța de a plânge îndelung și cu putere, acest fapt nu este neapărat un semn că micuțul este bolnav. De fapt, plânsul puternic și prelungit solicită o mare cheltuială de energie fizică, pe care numai un micuț sănătos este în măsură să îl exprime. Copilul care are probleme serioase de sănătate nu are nici măcar puterea de a plânge; de fapt, micuțul care se simte cu adevărat rău nu plânge, ci scâncește. Iar scâncetul este foarte diferit de plâns.

Ce anume trebuie să facem dacă bebeluşul plânge?

La această întrebare, care este cea mai frecventă în timpul cursurilor de pregătire pentru naştere, răspund întotdeauna în acelaşi fel: „Copilul dumneavoastră nu va plânge". Iar dacă o va face, este probabil ca vina să nu fie a lui, ci a dumneavoastră, deoarece probabil că nu sunteţi, încă, în măsură să înţelegeţi ce anume vrea să vă spună.

Cum să înţeleg de ce plânge copilul?

Părinţii atenţi şi, mai ales, bine îndrumaţi şi instruiţi reuşesc, mai uşor decât îşi pot imagina, să înveţe să înţeleagă plânsul copilului lor încă din primele luni de viaţă.

Există diferite tipuri de plâns?

Da, aceste comportamente fac parte din caracterul şi stilul fiecărui copil. O mamă atentă învaţă să distingă diversele tipuri de plâns ale copilului său în circa 3 săptămâni. Unii experţi afirmă că o mamă poate fi în măsură să distingă plânsul copilului ei de cel al altor copii din creşa nou-născuţilor în numai 3 zile.

Unii copii plâng mai mult decât alţii?

Da, la copii există o mare variabilitate individuală. Există nou-născuţi liniştiţi şi nou-născuţi agitaţi. În general, sunt mai agitaţi cei care vin pe lume prin naşteri dificile, având drept consecinţă suferinţa neonatală, sau cei care trăiesc într-un mediu cu tensiuni, sau al căror raport psihoafectiv cu mama este unul dificil. La aceste motive se pot adăuga diverse sensibilităţi individuale, pentru care, în funcţie de stimuli, copilul mai „grăsuţ" nu se deranjează aproape niciodată, iar copilul mai sensibil se lasă pradă unui plâns prelungit. Anglo-saxonii împart copiii în categorii, în funcţie de fenomenul plânsului, în „cuminţi", „intermediari" şi „dificili". Copiii „dificili" reprezintă circa 15% din numărul nou-născuţilor.

Da, dar între anumite limite. Unii psihologi ajung chiar să formuleze previziuni cu privire la viitorul caracter al copiilor în funcție de plânsul lor, susținând și că diversele tipuri de plâns pot fi folosite în scopul diagnosticării, deoarece caracteristicile plânsului sunt legate de condițiile de dezvoltare sau de o suferință a creierului. Mi se pare o temă foarte fascinantă, dar care mai trebuie aprofundată.

Evaluarea plânsului poate fi utilă pentru a decide strategia de control al copilului?

Nu, plânsul se poate manifesta în orice moment al zilei: de fapt, acesta este motivat, întotdeauna, de cauze precise. Totuși, copilul care „plânge mai mult" dă dovadă de o anume preferință pentru orele după-amiezei sau cele târzii.

Exista o oră anume pentru plâns?

Motivele cele mai frecvente care îl fac pe copil să izbucnească în plâns sunt:
• foamea (mai des decât setea);
• disconfortul fizic;
• oboseala;
• plictiseala;
• nevoia de a-și descărca tensiunea.

Care sunt cele mai frecvente cauze ale plânsului?

Este cel mai greu de înțeles. După ce a dormit liniștit, sugarul începe să se trezească încetul cu încetul și apoi plânge cu glas scăzut. Plânsul încetează imediat ce începe să sugă orice obiect aflat la îndemână (degetele, suzeta, păturica), numai că, în foarte scurt timp, micuțul își dă seama că, deși suge, nu îi intră nimic în gură (și deci nici în stomac). Poate plânge când a terminat de supt, imediat ce este îndepărtat de la sân, sau de biberon, sau când nu este satisfăcut de masa primită. Acest plâns este destul de puternic, cu o notă de iritare, care variază în intensitate.

Cum se distinge plânsul cauzat de foame?

Cum se distinge plânsul cauzat de o indispoziție fizică?

Este un plâns nu foarte intens, dar care dă dovadă de o puternică iritare. Se poate manifesta când copilul este murdar, mai ales dacă elimină fecale de lapte matern, foarte lichide, abundente și acide. Pentru a se liniști, este suficient să îi schimbați scutecul. De aceea este indicat să îl dezbrăcați pe micuțul care plânge deoarece, uneori, s-ar putea ca plânsul să fie cauzat de o poziție incomodă a hăinuțelor sau a scutecelor, care îi creează o adevărată neplăcere. Micuțul poate plânge din cauza căldurii, când este foarte îmbrăcat, sau din cauza frigului (ceea ce se întâmplă foarte rar). Zgomotele puternice îl fac să tresară și apoi să plângă, radioul dat tare, strigătele, luminile intense sunt sursă de excitare și iritare puternică. În schimb, zgomotele casnice normale (inclusiv televizorul deschis, atât timp cât volumul este normal) sunt o adevărată companie pentru el.

Cum se distinge plânsul cauzat de oboseală?

Este un plâns lipsit de vigoare, monoton, care tinde să se atenueze, până la încetare, pentru ca apoi să fie reluat. Se manifestă atunci când copiii sunt supuși unui exces de stimuli externi pe care nu îi pot controla. Se poate manifesta atunci când vreți cu orice preț să îi faceți pe micuți să se joace, le vorbiți întruna, îi „chinuiți" cu cutia muzicală sau cu cântece de adormit copiii.

Cum se distinge plânsul cauzat de plictiseală?

Se manifestă la sugarul de câteva luni. Se manifestă atunci când copilul nu este stimulat și este lăsat singur mult timp. În aceste situații, reacționează printr-un plâns puțin viguros, de-a dreptul „plictisit", și se calmează imediat ce aude vocea unui adult. Deci micuțul nu exprimă niciun fel de indispoziție fizică: pur și simplu nu vrea să se simtă singur.

Poate fi definit şi drept „plâns aparent nemotivat", deoarece depistarea cauzelor este destul de dificilă. În general, este asociat cu renumitele, sau de faimă proastă, *colici*. Colici care pot fi definite în mod variat: colici gazoase, colici din primele 3 luni, colici de carantină etc. Denumirea comună, folosită mai des, este aceea de *colici gazoase*, deoarece se consideră că sunt cauzate de excesul de gaze din intestine. Deseori, mamele îi informează pe medicii pediatri că micuţii lor, în timpul crizei, eliberează cantităţi mari de aer şi, în stomacul copiilor, se aude un chiorăit. În realitate, nu colicile sunt cauza emiterii de aer, ci plânsul puternic, care îl face pe micuţ să înghită mari cantităţi de aer.

Ce anume este plânsul pentru descărcarea tensiunii?

Îmi permit să spun că se manifestă la copiii cu o sănătate perfectă: copii sănătoşi, viguroşi, cu un apetit bun, care digeră perfect şi cresc normal. Colicile sunt caracterizate de un plâns violent şi furios, care poate să dispară în timpul zilei, dar care are o frecvenţă majoră după-amiaza târziu sau seara. Se pare că micuţul vrea să strige tot mai tare, ca pentru a o necăji pe persoana care îi stă aproape, sau ca şi cum i-ar face plăcere să plângă. Îşi agită mânuţele şi picioruşele, îşi strânge şi îşi agită pumnii, are chipul de un roşu-vineţiu, alternează mişcări de supt cu gesturi de refuzare a suzetei, uneori acceptă mâncarea, alteori o refuză. Pe scurt, este un tablou care poate să pară dramatic şi care se deosebeşte de plânsul din alte cauze, tocmai pentru că acestea lipsesc.

Cum se prezintă colicile?

Colicile se manifestă la circa 15-20% dintre copii, dar frecvenţa, în societatea actuală, este în creştere constantă.

Colicile sunt frecvente?

Colicile apar mereu la aceleași ore?

În 70% din cazuri, ora apariției colicilor este după-amiaza târziu: încep, aproape întotdeauna, în jurul orei 18, pentru a se opri noaptea (spre miezul nopții), program care tinde să se repete cu o anumită regularitate în fiecare zi.

Când încep și cât durează?

Perioada de apariție a colicilor se încadrează în primele 6 săptămâni de viață. Acestea tind să dispară, în marea majoritate a cazurilor, la vârsta de 3-4 săptămâni. Din păcate, în unele cazuri, care de fapt sunt foarte rare, se pot manifesta până la vârsta de un an. Perioada de intensitate maximă este cuprinsă în intervalul de vârstă între 8 și 12 săptămâni.

Ce anume cauzează colicile?

Există încă multe persoane care consideră că aceste colici sunt determinate de cauze organice, adică se manifestă datorită unor adevărate disfuncții ale organismului copilului (aproape boli), ca de pildă probleme gastroenteritice, care determină un exces de fermentare intestinală și, deci, producerea de aer, sau alergii alimentare (alergie la laptele de vacă). În realitate, colicile tipice sunt cauzate, întotdeauna, de factori psihologici. Aceste cauze nu sunt străine de temperamentul copilului, care, în mod cert, este predispus să reacționeze cu mare intensitate față de factorii externi. Cu privire la cauzele organice, este adevărat că uneori pot duce la crize de plâns dar, dacă există, copilul nu se bucură de o sănătate perfectă (așa cum s-a spus), ci prezintă, în afară de plâns, și alte simptome caracteristice disfuncțiilor considerate a fi cauza colicilor (de exemplu, diaree, regurgitare, eczemă atopică, creștere lentă).

În prezent, mare parte a psihologilor infantili şi, din fericire, şi medicii pediatri, consideră că situaţia psihologică a mediului în care trăieşte copilul, adică relaţia psihoafectivă dintre mamă şi micuţ, are o mare importanţă. Ei consideră că aceste colici ale sugarului sunt o manifestare care reflectă o stare incorectă a mediului înconjurător. În fapt, colicile gazoase au, în mod sigur, o mare frecvenţă în cazul primilor născuţi (vorbim mai ales de clasele sociale înalte) şi dispar, aproape întotdeauna, când este schimbat mediul. De exemplu, când dorm în casa bunicilor, sau când trebuie să fie internaţi, mama se miră că spitalul, în loc să înrăutăţească, mai degrabă îmbunătăţeşte comportamentul micuţului ei.

Ce anume se înţelege prin cauze psihologice?

Comportamentul mamei este fundamental: de fapt, copiii cu colici au, aproape întotdeauna, o mamă cu trăsături psihologice şi comportamentale tipice. Nerăbdătoare sau depresivă, cu sentimente de vină sau de obligaţie morală de a creşte mai bine copilul, deseori lipsită de siguranţă în judecarea stării sănătăţii şi exagerat de protectoare, poate încă imatură pentru rolul său de mamă. Indispoziţia, determinată de o situaţie legată de ambient, duce la acumularea unei tensiuni la copil, care se foloseşte de crizele de plâns pentru a-şi descărca tensiunea zilnică şi pentru a-şi reorganiza tânărul său echilibru psihic, încă fragil şi instabil. Rolul tatălui este determinant, ca susţinător al mamei, care nu doreşte să se simtă abandonată în faţa acestui rol de o mare responsabilitate şi care speră să primească un ajutor din partea unicei persoane care are obligaţia de a împărţi cu ea dificila aventură de a creşte copilul. Amintiţi-vă că aceste colici ale copilului pot crea adevărate drame familiale.

Care este rolul părinţilor în provocarea colicilor la sugar?

Ce trebuie făcut pentru copii în cazul colicilor?

În extrem de rarele cazuri când se reușește determinarea unei cauze organice reale (intoleranța față de laptele de vacă, fermentare gastrointestinală), terapia cea mai simplă este de a încerca corectarea alimentației și, eventual, administrarea unor medicamente (dar, atenție, tratamentul trebuie să funcționeze astfel încât să ducă la dispariția indispoziției; deci, nu trebuie să fie vorba de un simplu subterfugiu care ține de diagnostic!). Intervenția este mai dificilă în cazurile de origine psihologică. Plânsul copilului poate cauza părinților reacții neadecvate și contradictorii, care se manifestă de la un exces de intervenție, cu consecințe hiperstimulatorii, la o indiferență resemnată. În ambele situații de mai sus, se transmit mesaje inadecvate pentru soluționarea stării tensionate a copilului, care pot duce chiar la o accentuare ulterioară a crizelor de plâns. Sarcina medicului pediatru este aceea de a nu dramatiza, dar nici a subevalua situația, deoarece, de multe ori, situația familială poate ajunge la tensiuni și preocupări ce vor face cu adevărat imposibilă legătura dintre părinți și copil. Constatarea faptului că micutul crește normal, în ciuda existenței colicilor, și certitudinea că aceste colici dispar spre vârsta de 3-4 luni trebuie să servească liniștirii părinților, care, astfel, sunt ajutați și responsabilizați prin explicarea deschisă și obiectivă a motivelor care îl fac pe copilul lor să se comporte în acel fel. Dacă părinții (mai ales mama) manifestă semne de cedare psihologică și provoacă o creștere a stării lor de anxietate, s-ar putea ca și comportamentul copilului să se înrăutățească.

Modificarea ambientului îi poate fi de folos copilului cu colici?

Este necesar să creați un moment care să modifice starea ambientului: de exemplu, să duceți copilul să doarmă la bunici. Îmi dau seama că nu este o soluție definitivă. Dar nu există soluții decisive. În vederea determinării eficienței, puteți încerca să atrageți atenția copilului prin crearea unor factori alternativi, ducându-l, de pildă, la o plimbare cu mașina, legănându-l, uneori chiar cu mișcări mai accentuate; se pot obține unele rezultate masându-l ușor pe burtică sau schimbându-i poziția, ca de pildă punându-l cu burtica în jos. În realitate, aceste acțiuni ne fac să credem că plânsul este cauzat de faimoasa durere de burtă. Nu este așa; s-a obținut un rezultat deoarece starea ambientului a fost schimbată! Se poate obține un oarecare succes provocând zgomote diferite de cele cu care este obișnuit, sau punând muzică. Folosirea mult indicatului irigator este inutilă. Toate aceste acțiuni au defectul de a avea și o probabilitate de succes, în cel mai fericit caz, de 50%.

Trebuie să lăsăm copilul să plângă?

Nu, este o greșeală pe care nu trebuie să o faceți pentru nimic în lume. Niciodată nu trebuie să lăsați copilul să plângă singur și disperat, fără a căuta motivele reale ale plânsului său. Amintiți-vă că micuțul folosește plânsul pentru a comunica cu cei care îi sunt aproape. În cazul colicilor menționate mai sus, se transmite un mesaj foarte simplu: nu este satisfăcut de starea ambientală (creată de voi) în care trăiește.

Deci, adevărata cauză a colicilor sunt părinții?

Medicul pediatru cu experiență știe că în cazul colicilor (adică atunci când micuțul se lasă pradă plânsului nemotivat) este necesar să le explice părinților în detaliu (fără a evita întrebările incomode), natura și cauza comportamentului copiilor lor, fără a învinovăți pe cineva, mai ales pe mame, care, uneori, au toate motivele să fie tensionate și anxioase. De fapt, primul lor copil este un „obiect misterios", iar mamele din ziua de azi nu se bucură de susținere din partea unei familii numeroase, ca în trecut. În plus, multe dintre ele, care ştiu că în scurt timp vor fi nevoite să îşi reia munca, sunt supuse bombardamentului cu teorii şi indicaţii şi, uneori, chiar unei vinovate lipse de înţelegere din partea multora. Părinţii trebuie să se asigure că plânsul nu este cauzat de o indispoziţie fizică, ci că depinde de o stare psihologică ce ţine de existenţa unui ambient care nu este ideal şi de faptul că sistemul emotiv şi cel psihologic al copilului nu este încă în totalitate matur. În jurul lunii a treia, acesta se va dezvolta în totalitate şi, din acel moment, faza plânsului va tinde să dispară, mai ales dacă va fi însoţită de o conştiinţă maturizată a părinţilor (îndeosebi mama) cu privire la schimbarea modului de interacţiune cu copilul.

Este adevărat că sugarii plâng din cauza durerii de burtă?

Este unul dintre misterele pediatriei. Dacă plânsul este atribuit durerii de burtă, mama este, în general, mulţumită, şi aproape că nici nu mai încearcă să afle de ce copilul ei trebuie să aibă durere de burtă. Noi, medicii pediatri, formulăm acest diagnostic. Totuşi, adevărata durere de burtă trebuie să fie cauzată de ceva: ca de pildă diaree sau vomă. Şi atunci, în lipsa acestor deranjamente, de ce altceva suferă copilul? Aşa cum am spus, este un mister, dar un altul decât acele mistere care funcţionează foarte bine din punct de vedere psihologic pentru mame! În realitate, adevărata durere de burtă, cea cauzată de o serie de mai multe motive, determină, adeseori, un plâns de suferinţă, lipsit de putere, menit să se transforme într-un scâncet.

7. Suzeta și degetul mare

Pentru a înțelege motivul pentru care suzeta sau degetul mare au pentru copil o funcție consolatorie atât de mare, este util să facem câteva aprecieri. Suptul este, în mod cert, unul dintre cele mai importante reflexe automate ale nou-născutului, deoarece de el depinde posibilitatea de a se alimenta și, deci, creșterea și supraviețuirea micuțului. Nu întâmplător, unul dintre simptomele unei boli grave a nou-născutului este reprezentat de diminuarea sau dispariția acestui reflex. Actul suptului îi dă bebelușului o senzație plăcută, atât pentru că îi permite să compenseze senzația de foame, cât și pentru că are o funcție calmantă, dându-i un sentiment de liniște și siguranță. Fiecare copil, în timpul zilei, are nevoie să sugă un anumit timp, care variază de la un bebeluș la altul. Din această cauză, se observă deseori că unii micuți sug în gol, mai ales în timpul somnului, acțiune însoțită, uneori, de un sunet plăcut și amuzant, de plescăit.

Este corect să dăm copilu-lui suzeta?

Poate fi corect sau greşit. Fiecare copil simte nevoia de a suge, într-un anume interval, în timpul zilei. Mulţi micuţi reuşesc să îşi satisfacă necesitatea de a suge numai la orele stabilite pentru alimentaţia lor. În general, mesele de alăptare la sân, care durează mai mult şi presupun o mai mare forţă pentru a suge, sunt în măsură să potolească de tot această cerinţă. În alte cazuri, copiii (şi mult mai uşor cei care sunt alăptaţi în mod artificial) nu reuşesc să îşi satisfacă această cerinţă de a suge numai în intervalul dedicat hrănirii lor, fapt pentru care manifestă o mare nevoie de a suge. Tentativele de a prelungi timpul suptului, oferindu-i apoi un biberon, nu folosesc. În realitate, aceşti micuţi încă simt „nevoia" de a suge. Pentru a satisface această necesitate, orice soluţie este bună. Dacă nu i se dă suzeta, copilul va începe să îşi sugă degetul mare, sau oricare alt deget, un colţ al feţei de pernă, al bavetei, al unei jucării etc. A-i da suzeta este o alegere corectă, deoarece aceasta va satisface o necesitate reală a micuţului.

Nou-născutul are un reflex care îl face să ducă degetul mare în gură?

Da, se numeşte *reflexul Babkin*. Când au o stare de disconfort, unii nou-născuţi (dar nu toţi) reuşesc să îşi bage degetul mare în gură. În general, faţă de alţii, aceşti nou-născuţi sunt dotaţi cu o mai mare capacitate precoce de autosugestionare.

Când este greşit să dăm suzeta?

Este greşit să dăm copilului suzeta este atunci când ne folosim de aceasta pentru a-l face să tacă pe copilul care, prin comportamentul său (în general plânsul), încearcă să îşi exprime o necesitate nesatisfăcută. Este mult mai uşor şi mai comod să îi daţi suzeta, decât să vă puneţi întrebarea de ce plânge şi care este motivul pentru care, prin plâns, încearcă să atragă atenţia mamei. Dar nu este modul cel mai bun de a vă ocupa de propriul copil (care, să nu uităm, este total dependent de mamă). Suzeta folosită fără a vă strădui să înțelegeți necesitățile copilului este o eroare de care ne vom da seama ceva mai târziu.

Nu este necesar să exagerați cu precauțiile. În ceea ce privește aspectul igienic, nu este suficient (teoretic vorbind) doar să spălați cu apă de la robinet suzeta ce a căzut pe pământ (nu pe podeaua din casă), cu atât mai puțin să o curățați trecând-o prin gură. Pentru a adopta un comportament igienic mai sigur este necesar să o puneți în soluții antiseptice sau chiar la fiert. Dar este oare necesar să recurgem la metode atât de riguroase? Mai ales în casă? Copilul nu trebuie să vină în contact cu microbii pentru ca organismul să își formeze anticorpi? Și apoi, când „cotrobăie" prin casă, nu pune gura peste tot? Trebuie să acordați foarte multă atenție normelor igienice atunci când este prezentă *erupția pe mucoasa cavității bucale*. În acest caz, este necesar să spălați și să fierbeți suzeta, apoi să o țineți în apă fiartă cu adaos de bicarbonat. În schimb, o greșeală pe care trebuie să o evitați este aceea de a muia suzeta în zahăr sau miere, fapt care, în mod cert, nu este cerut de copil, ci este un viciu introdus de către părinți.

Ce precauții să folosim dacă bebelușul a ales suzeta?

În prezent, sunt în curs unele studii pentru a verifica dacă sugerea suzetei toată ziua poate fi cauza unor infecții ale aparatului orofaringian (gură, nas, gât și urechi). În mod cert, ținerea îndelungată în gură a unui obiect străin ar putea favoriza colonizarea și multiplicarea unor microbi. Mă tem că unele cercetări efectuate asupra copiilor se fac deseori cu scopul de a obține rezultatele dorite. Și pentru a le complica viața.

Suzeta poate cauza infecții ale cavității bucale, gâtului și urechilor?

Este adevărat că suzeta deformează arcada dentară?

Este adevărat: suzeta, mai ales dacă este dată spre folosire toată ziua şi noaptea, deformează, temporar, alinierea dinţilor, fapt pentru care închiderea interdentară, dintre dinţii de deasupra şi cei de jos, nu mai este orizontală, ci capătă un aspect triunghiular, cu vârful la nivelul incisivilor superiori. Totuşi, este la fel de adevărat că, atunci când se renunţă la aceasta, poziţia dinţilor revine la normal în scurt timp. Cu privire la posibilitatea intervenţiei suzetei asupra dezvoltării corecte a dinţilor permanenţi, există mari dubii. În mod cert se ştie că dacă acest obicei este abandonat înainte de vârsta de 4 ani, nu va avea nicio repercusiune asupra alinierii dinţilor.

Când trebuie să nu mai lăsăm copilul să folosească suzeta?

Răspunsul meu este categoric: când va decide el. De fapt, este mai puţin probabil ca părinţii, în baza convingerii că sugerea suzetei sau a degetului mare timp îndelungat duce la distrugerea dinţilor, să se trezească într-o bună zi şi să decreteze: acum eşti mare şi a venit timpul să renunţi la suzetă! Şi, dintr-odată, să o facă să dispară. Aceasta este una dintre multele acţiuni de cruzime nejustificată comise „spre binele" copilului. Este unul dintre obiceiurile şi intervenţiile violente nejustificate ale părinţilor în viaţa micuţilor. Şi, deseori, acest tip de raţionament şi de intervenţie este făcut chiar de către mama care i-a dat copilului suzeta în mod incorect.

Suzeta folosită după vârsta de 4 ani poate cauza probleme?

Problema deformării dinţilor este foarte vizibilă pentru adulţi (mai degrabă pare a fi propria lor problemă), care, deseori, sunt bombardaţi cu informaţii incorecte. Şi aşa cum se întâmplă cu multe probleme, pot duce la iniţiative care nu sunt chiar cele mai adecvate pentru micuţi. Am vorbit despre alinierea dinţilor şi nu despre deformarea arcadei dentare, care este cu totul altceva şi care este determinată de cauze genetice şi ereditare. În rest, între generaţiile născute şi crescute înainte de *boom*-ul ortodonţiei nu s-au întâlnit anomalii mari şi numeroase ale dinţilor datorate suzetei. Iar suzeta a existat întotdeauna! Îl citez pe faimosul medic pediatru T. Berry Brazelton, care spune despre acest lucru: „Într-un studiu condus de medicii stomatologi de la Children's Hospital din Boston, pe copii care au obiceiul de a folosi suzeta, sau care îşi sug degetul mare, şi pe copii care, în schimb, nu au deprins niciunul dintre aceste obiceiuri, s-a observat o mică diferenţă între cele două grupuri cu privire la necesitatea de a folosi, ulterior, aparatul dentar.

Când părinţii decid să nu mai dea copilului suzeta (fie de la o zi la alta, fie în mod treptat) începe o perioadă agitată în viaţa micuţului şi în relaţia acestuia cu părinţii. Suzeta este, pentru copil, o sursă de siguranţă, linişte, confort şi plăcere. Şi, într-o bună zi, părinţii decid să anuleze, dintr-o singură lovitură, toate aceste mulţumiri, deoarece se gândesc că s-ar putea să îi strâmbe dinţii! Chiar dacă ar fi aşa, în cel mai rău caz, la momentul just îi vor pune aparatul dentar pentru îndreptarea dinţilor. Trauma psihologică este mult mai mare decât cheltuiala economică şi jena temporară dată de un aparat de corecţie. Cauza reală a malformaţiilor arcadei dentare, care solicită doar aplicarea aparatelor ortodontice, este de origine genetică, deci nu se datorează sugerii suzetei sau degetului mare. Cert este că acei copii care continuă să sugă şi după vârsta de 5 sau 6 ani se supun unui oarecare risc. Dar, şi în acest caz, lăsaţi copilul

Părinţii greşesc dacă îndepărtează suzeta copilului?

să renunţe singur la suzetă, deoarece, altfel, conse-
cinţa poate fi un accentuat dezechilibru psihologic şi
emoţional. De fapt, copilul lipsit de suzetă deseori
nu mai reuşeşte să se autocontroloze, îi este greu să
adoarmă, se suceşte şi se răsuceşte în pătuţ de parcă
s-ar lupta, deseori furios pe sine; în timpul zilei,
poate fi mai iritat sau mai trist şi uneori poate pre-
zenta momente de regres. Mă întreb dacă părinţii nu
se înduioşează şi nu cad pe gânduri când văd imensa
bucurie şi seninătate a copilul lor atunci când re-
găseşte suzeta care dispăruse fiindcă „un om rău a
luat-o cu el", „a trecut un căţeluş şi a mâncat-o", sau
chiar „s-a pierdut" etc., în funcţie de marea capaci-
tate a adulţilor de a minţi.

În general, la ce vârstă renunţă copilul singur la suzetă?

În mod normal, pe la vârsta de 3 ani copilul aban-
donează suzeta în mod spontan. O face treptat şi are
tendinţa de a apela iarăşi la ea doar pentru a adormi.
Dacă, totuşi, copilul continuă să o folosească după
ce depăşeşte vârsta de 4 ani, părinţii, în loc să îl roage
sau să îl corecteze, ar trebui să îşi analizeze propria
conştiinţă, întrebându-se dacă au ştiut să constru-
iască, în jurul propriului copil un mediu adecvat, de
seninătate, linişte şi iubire, sau dacă nu cumva au dus
la crearea unei stări nevrotice, încărcată numai de
tensiune şi anxietate.

Şi dacă a ales degetul mare?

Personal sunt fericit. Ce altceva poate fi mai frumos
şi mai poetic decât să vezi un copil care îşi suge dege-
tul cel mare. Cât de minunat este să îl observi cum îşi
bagă imediat degetul în gură când este contrariat sau
când simte că se apropie somnul…

Este adevărat că degetul este mai dăunător decât suzeta?

Nici suzeta şi nici degetul mare nu sunt dăunătoare. Din punctul de vedere al copilului, în mod sigur, degetul mare este mai funcţional, deoarece este imposibil să îl piardă! Mulţi părinţi, apropo de daunele cauzate de supt, sunt mai mult împotriva degetului mare, pe care îl consideră a fi mai dăunător decât suzeta. Probabil că încă îşi mai amintesc neliniştile personale şi ameninţările din copilărie, datorită cărora un act care avea funcţia de a-l consola şi relaxa pe copil era trăit ca un act de care să te ruşinezi şi pe care să îl ascunzi.

Trebuie descurajată sugerea degetului mare?

Nu, niciodată. În niciun caz să nu folosiţi obiceiuri vechi şi puţin cam crude, ca de pildă substanţe amare, plasturi, bandă adezivă, îmbrăcarea mânuţelor copilului cu mănuşi. Întrebaţi-l pe copilul dumneavoastră ce gust are degetul lui mare. Veţi primi nişte răspunsuri delicioase. Este uşor să înţelegeţi ce dezamăgire ar fi pentru el să descopere un deget acoperit cu plasture şi cu gust neplăcut. Doresc să închei acest argument citându-l din nou pe faimosul medic pediatru american Brazelton, care, cu privire la suzetă şi la degetul mare, spune: „În toate acestea, eu prefer să văd manifestarea unei capacităţi de gestionare a propriei stări de bine, şi nicidecum un obicei prea puţin igienic sau de care să ne ruşinăm".

8. Dentiția

Creșterea dinților constituie unul dintre momentele fundamentale din viața sugarului. Ca toate evenimentele de „mare importanță" în existența micuțului, apariția dinților este înconjurată de o serie de convingeri eronate și temeri. Acesta este motivul pentru care mamele pun atât de multe întrebări cu privire la acest argument. Înainte de toate, trebuie să știm că apariția dentiției se împarte în două etape: dinții care cad, „dinții de lapte", adică cei care se schimbă, care apar la sugari, și cei permanenți, care apar în jurul vârstei de 6 sau 7 ani.

La ce vârstă trebuie să apară primul dințișor?

Apariția primului dinte are loc prin a șasea lună de viață; totuși, la unii copii, este posibil ca primul dințișor să apară mai târziu (mai precis spre lunile 8-9-10); la alții, dar foarte rar, apare în luna a patra sau a cincea, fără ca acest lucru să reprezinte vreo anomalie. De fapt, dentiția este reglată de factori ereditari, fapt pentru care o întârziere sau o apariție mai precoce este, întotdeauna, legată de o situație similară la unul dintre părinți.

Dentiția apare în funcție de o schemă egală pentru toți copiii?

Nu. Uneori apariția dinților nu respectă succesiunea prevăzută de schemele de referință, care se găsesc în diferite cărți. Cu alte cuvinte, pot să apară mai întâi incisivul superior sau incisivul inferior, sau chiar molarii înaintea incisivilor. Aceste evenimente revin la normalitate și sunt și ele legate de factori ereditari.

Când se completează dantura care se schimbă?

Dantura care se schimbă se completează, în general, până în a treizecea lună de viață. Nici în acest caz, însă, nu se poate vorbi despre o limită și există o anume variație de la copil la copil.

Începerea creșterii dinților este semnalată de prezența „balelor"?

Nu; cam în luna a treia, copilul „face bale" deoarece crește activitatea glandelor care produc saliva (*glande salivare*). Mulți interpretează acest fenomen ca început al apariției dinților, considerând că sunt determinate de o iritare a gingiilor, care stimulează, în consecință, o cantitate mai mare de salivă. În realitate, cantitatea de salivă nu este cauzată de faptul că apar dinții, ci de faptul că acesta nu a învățat bine, încă, să își înghită saliva.

Apariția dinților duce la apariția unor indispoziții?

În general, apariția dinților la copii are loc fără probleme deosebite. Mama își dă seama că micuțului i-a crescut primul dințișor deoarece, într-o bună zi, i se întâmplă să observe un zgomot ciudat atunci când îi dă să mănânce cu lingurița sau, punându-i un deget în gură, simte dințișorul dur și tăios. Deci, în cele mai multe cazuri, primul dințișor iese în liniște și pe ne-așteptate. Alteori, în schimb, creșterea dinților poate fi însoțită de o perioadă scurtă, de circa două sau trei zile, de agitație maximă, scădere a poftei de mâncare, un scurt și trecător episod cu diaree, o ușoară și scurtă creștere a temperaturii. Cu privire la tulbură-rile dentiției pot doar să afirm cu certitudine că și cu privire la aceste argumente există mari diferențe de interpretare între specialiști. Medicii pediatri cei mai intransigenți nu admit existența absolută a vreunei legături între dentiție și unele tulburări (febră ușoară, ușoară diaree, agitație temporară), cu excepția unei jene în cazul în care, în propriul ambient familiar, copiii prezintă, în mod evident, aceste fenomene. Apariția unui dinte poate provoca, uneori, unele mici tulburări locale, primul fiind iritația gingivală, care se poate dovedi dureroasă. O astfel de indispo-ziție provoacă iritarea copilului care, în același timp, poate da dovadă de un moment de slăbiciune fizică, cu posibilitatea apariției unor mici probleme infla-matorii ale gâtului sau mici tulburări intestinale. Dacă problema este examinată astfel, atunci devine evident că trebuie să considerăm dentiția ca fiind cauza unora dintre aceste mici inconveniențe. În schimb, este eronat să atribuim apariției dinților fe-nomene de o relevanță mai mare, ca de pildă febra care durează mai multe zile, amigdalita, bronșitele și episoadele diareice mai îndelungate.

Este corect să folosim calmante împotriva durerii de dinți?

Dubiul cu privire la eficacitatea reală a calmantelor contra durerii de dinți se datorează faptului că aceste produse, imediat ce sunt aplicate, sunt diluate de salivă, fapt pentru care ar trebui aplicate în mod continuu. Din moment ce acestea nu mi se par nici utile și nici comode, consider că nu merită folosite.

Cum să menținem igiena dentară a sugarului?

Pentru sugar puteți folosi o fașă, înfășurată în jurul degetului, pe care o treceți, cu delicatețe, peste dințișori, sau o mică spatulă moale și umezită, fără pastă de dinți. Multe mame au o atitudine excesivă cu privire la curățarea dințișorilor sugarilor. Da, este un fapt pozitiv, dar vă atrag atenția că nu trebuie să exagerați. Deseori văd copii cărora nu li se face băița zilnică (și deci nu sunt foarte curați), dar ai căror mame sunt totuși deosebit de mândre pentru că le șterg dinții.

Trebuie să administrăm fluor copilului?

Fluorul este un mineral care dă rezistență smalțului dinților. Deci administrarea acestuia este, în mod indiscutabil, utilă. În unele țări s-a trecut la metode de fluorizare, îmbogățindu-se apa potabilă și sarea de bucătărie. În țările în care nu se practică astfel de metode, este necesar ca familiile să asigure administrarea fluorului la copii prin inițiative personale. În comerț există produse ce conțin fluor, sub formă de comprese și picături, care pot fi date copiilor înainte, după sau în timpul meselor. Administrarea, în general, nu ar trebui oprită niciodată. Totuși, dacă administrarea este întreruptă pentru câteva zile sau chiar săptămâni, acest fapt nu aduce niciun prejudiciu rezultatului prevenirii.

Administrarea fluorului începe la vârsta de 6 luni până la un an. Doza inițială este, în general, de 0,25 mg pe zi. Administrarea trebuie să fie zilnică, mărind doza în mod treptat, și trebuie continuată până la vârsta de 12-13 ani. Totuși, este necesar să se facă o evaluare a caracteristicilor fiecărui copil: din această cauză, în unele cazuri, administrarea fluorului poate fi întreruptă pe la vârsta de 10 ani. Deci, această decizie îi revine medicului pediatru. Există și alte metode de fluorizare, mai ușor de realizat la copiii mai măricei, ca de pildă aplicarea unui gel fluorizat direct pe dinți și folosirea pastelor de dinți ce conțin fluor. Metoda cea mai comodă și mai economică este administrarea pe cale orală.

Când și în ce doze se administrează fluorul?

9. Creşterea

Conceptul de creştere a copilului nu trebuie limitat în mod exclusiv ca făcând referire numai la controlul staturii şi al greutăţii. Prin creştere se înţelege totalitatea schimbărilor unui organism, schimbări care privesc dezvoltarea tuturor componentelor sale, atât fizice, cât şi psihice. Desigur, statura şi greutatea sunt parametrii cel mai uşor de controlat şi, într-un anume sens, şi cei mai semnificativi cu privire la o funcţionare perfectă a organismului. De exemplu, încetarea creşterii staturii sau a greutăţii, într-o perioadă când acest lucru nu este de aşteptat, poate fi uneori semnalul existenţei unor probleme serioase.

STATURA (CREȘTEREA STATURII)

Care este lungimea medie a unui nou-născut?

Statura medie (lungimea) a nou-născutului este de circa 50,5 cm pentru băieți și 49,5 cm pentru fete. În condiții normale, lungimea nou-născutului variază puțin de la un copil la altul, indiferent de statura părinților. Cu alte cuvinte, nou-născuții au aproximativ aceeași lungime (între 40 și 51 cm). Diferențele individuale apar cu trecerea timpului.

La un nou-născut este mai importantă lungimea, sau greutatea?

Parametrul cel mai important pentru evaluarea stării de sănătate a copilului în primii doi ani de viață este, desigur, greutatea. Măsurarea staturii este mai puțin semnificativă, în afară doar de cazul în care aceasta depășește cu mult normalul.

Ce anume influențează statura unui copil?

Creșterea staturii unui individ este determinată mai ales de ereditate și, deci, este greu de influențat prin intervenții externe. Copilul se naște cu un potențial de creștere a staturii, care poate fi îmbunătățit, în limite foarte restrânse, cu ajutorul unei alimentații exacte (poate cea mai importantă componentă), un aport de vitamine adecvat, o activitate sportivă corectă. Nu există medicamente pentru creștere! Hormonul creșterii, despre care se vorbește atât de mult în prezent, trebuie utilizat numai pentru copiii al căror organism nu îl produce (cazuri foarte rare). Din păcate, unii medici sunt tentați să administreze hormonul chiar și atunci când nu s-a dovedit, prin analize clinice, că organismul copilului nu îl produce. Atitudini de acest fel sunt incorecte din punct de vedere etic.

Determinarea staturii unui copil în primele luni de viață nu este un lucru ușor de realizat, deoarece este imposibil să așezi un nou-născut în picioare. În primii doi ani puteți încerca să îl așezați culcat între două obiecte grele și pătrate, ca de pildă volume mari cu coperte rigide, și apoi să măsurați distanța dintre acestea. Cei mai mărișori, doar dacă și ei colaborează, pot fi puși în picioare, lângă perete, cerându-le să își relaxeze mușchii și să fixeze un punct la nivelul ochilor. Apoi, cu ajutorul unei tăblițe, se marchează limita staturii. Evident, este vorba de proceduri empirice, care servesc ca indicatori generali; în caz că aveți dubii cu privire la creșterea unui copil, este oportun să apelați la măsurători mai exacte în clinici medicale.

Cum se poate măsura statura unui copil?

Creșterea staturii unui copil nu are o evoluție constantă, dar se desfășoară mai ales în salturi. Unii copii (dar este vorba de cazuri destul de rare) par să nu crească, deoarece nu prezintă schimbări foarte evidente; în realitate ei cresc încet, dar cu o progresie constantă.

Există patru momente fundamentale în procesul de creștere a staturii unui copil, pe care le prezentăm în continuare.

• De la naștere până la 4 ani. În această perioadă, copilul crește cu 20 cm în primul an, cu 10-12 cm în al doilea an, cu câte 8-9 cm în al treilea și al patrulea an.
• De la 5 ani până la pubertate, când crește cu 5-6 cm pe an.
• Perioada numită declanșare a pubertății, în care crește cu circa 10 cm pe an, timp de aproximativ 2 ani.
• De la vârsta pubertății până la 18 ani, perioadă în care creșterea este limitată la puțini centimetri (2-3).

Creșterea staturii unui copil este constantă și se reglează în timp?

De câte ori trebuie măsurată statura unui copil?

Măsurarea staturii trebuie efectuată de cel mult 2-3 ori pe an. Nu este corect să se efectueze măsurarea copilului în mod frecvent, mai ales când este mic: măsurarea prea frecventă poate avea efecte negative asupra părinţilor din punct de vedere psihologic.

Care sunt tabelele de referinţă?

Tabelele de referinţă sunt cele care ţin cont de variaţia individuală a staturii de la un copil la altul, indicând valorile-limită în cadrul cărora copilul încă trebuie să fie considerat normal pentru acea vârstă. O astfel de metodă de evaluare este exprimată de *graficul procentelor*.

Ce este tabelul sau graficul procentelor?

Acesta este un tabel (valabil fie pentru statură, fie pentru greutate), care ţine cont de doi factori: evaluarea marii variaţii individuale de la o persoană la alta şi evaluarea regularităţii procesului de creştere a copilului. Prin intermediul primei evaluări se poate afirma că un băiat de 3 ani este considerat în formă dacă măsoară între 87 şi 97 cm, sau că o fetiţă de 7 luni este considerată conform normei dacă are o greutate cuprinsă între 6,8 şi 9 kg. Evaluarea procesului de creştere permite monitorizarea copilului prin urmărirea acestuia în baza procentelor în care a fost încadrat la naştere. În cazul în care statura sau greutatea depăşesc limitele maxime sau minime, sau în cazul unei creşteri (ca statură sau greutate) sub procentul prevăzut, este necesară o verificare pentru a vedea dacă există probleme sau boli care să intervină în procesul de creştere.

GREUTATEA (CREŞTEREA GREUTĂŢII)

Greutatea medie a unui copil, la naştere, poate varia în medie între 3 200 şi 3 500 g, indiferent dacă este băiat sau fată.

Care este media de greutate pentru un nou-născut?

Da, creşterea greutăţii unui copil în primul an de viaţă este parametrul căruia medicul pediatru îi acordă mai multă atenţie. În realitate, o astfel de atenţie este deosebit de justificată de faptul că, în general, sănătatea copilului şi creşterea acestuia merg mână în mână. În anii în care se urmăreşte creşterea greutăţii micuţului nu se înregistrează o modificare progresivă constantă. De fapt, în primul an de viaţă, copilul prezintă o creştere majoră în greutate. De la 2 la 8-9 ani, ia în greutate doar câte 2-3 kg; cu puţin înainte de pubertate, greutatea începe să crească în mod mai constant.

În primul an de viaţă, greutatea este mai importantă decât statura?

Pornind de la faptul că stabilirea unor parametri rigizi în cazul copiilor este întotdeauna o greşeală, deoarece apare riscul de a genera confuzie şi nelinişte, voi încerca să vă dau unele indicaţii generale pe care să le preluaţi totuşi ca relative. Cu privire la creşterea zilnică, se vorbeşte de 25-30 g pe zi în primul trimestru de viaţă, 20-25 g în al doilea trimestru, 15-20 g şi 10-15 g în al patrulea trimestru. În realitate, o astfel de creştere regulată nu se verifică niciodată. Din această cauză, evaluarea zilnică a greutăţii copilului nu este indicată şi cu atât mai puţin de crezut. De fapt, este posibil ca un copil să nu crească timp de câteva zile şi apoi să câştige în greutate echivalentul a 2 sau 3 zile. Deci, nu cântăriţi copilul în fiecare zi. Mai demnă de luat în seamă este evaluarea

Cum variază greutatea în primul an de viaţă?

creşterii greutăţii săptămânale. Aceasta ar trebui să fie de circa 180-200 g pe săptămână în primele 3-4 luni, pentru ca apoi să scadă la circa 120-150 g pe săptămână în lunile următoare. În schimb, dacă se ia în considerare creşterea greutăţii lunare, valorile medii sunt de circa 600 g în prima lună, 800 g în lunile următoare, până în luna a patra, pentru ca apoi să revină la 600 g şi apoi la 400 g până la vârsta de un an. Toate aceste estimări au, în realitate, o semnificaţie foarte relativă. De fapt, sunt generale şi nu ţin seama de marea variaţie individuală, fapt pentru care şi diferenţe foarte mari între copii pot fi perfect normale. Nu se poate nici generaliza şi nici reduce, prin cifre, evoluţia greutăţii copilului; unicul lucru important este ca micuţul să crească. Va fi grija pediatrului să aprecieze în ce măsură creşterea este adecvată sau nu. Drept confirmare cu privire la credibilitatea scăzută a cifrelor menţionate mai sus, vă amintesc că, în prezent, creşterea greutăţii la sugari este cu mult mai ridicată faţă de valorile menţionate. Sunt unii copii care în primele luni cresc cu 250-300 g sau ajung direct la 350 g pe săptămână. Din fericire, creşterea acestora încetineşte pentru a ajunge, pe la 7-8 luni, la o creştere minimă sau chiar la o stopare.

Este adevărat că trebuie să cântărim copilul numai folosind acelaşi cântar?

Da; cântare diferite pot indica greutăţi diferite. Una dintre cele mai comune greşeli este aceea de a evalua creşterea greutăţii copilului comparând greutatea înregistrată de cântarul din casă cu cea indicată de cântarul de la maternitate sau cu cea arătată de cel de la clinica medicului pediatru. Această modalitate de evaluare poate rezerva surprize neplăcute, care de fapt nu corespund realităţii.

Nu, sugarul nu trăieşte pentru a mânca, dar mănâncă pentru a trăi. Şi deci este în măsură să se autoregleze şi, mai ales, este imposibil să fie constrâns să mănânce dacă nu are nevoie. În anii următori, când, chiar şi prin intervenţia adulţilor, la comportamentele instinctive se adaugă comportamente mai controlate de raţiune, cresc riscurile unei alimentaţii excesive. Este deci bine să nu consideraţi copiii „pui de crescătorie". Nu este adevărat ceea ce se credea odată, şi anume că un copil gras este un copil frumos; dimpotrivă, contrariul este adevărat. Atenţie deci să nu confundaţi un copil robust cu un copil gras. Copilul robust poate cântări mult fără să fie gras. Este robust pentru că aceasta îi este constituţia! Dacă tata şi mama au o statură robustă, aproape sigur copiii acestora vor fi la fel de robuşti ca şi ei. Pediatrul va fi cel care va avea grijă ca ei să nu devină graşi.

Multe mame sunt îngrijorate dacă bebeluşii lor cântăresc puţin. Mă simt dator să le liniştesc, explicându-le că bebeluşii lor nu vor avea indicatori de creştere excepţionali şi vor prezenta o creştere modestă a greutăţii, dar progresivă şi constantă. Rezultatul final, adică greutatea, se va încadra deci în normal. Nu trebuie uitat nici faptul că există copii cu o constituţie firavă. Este importantă evaluarea parametrilor sănătăţii (vivacitate, colorit, tonicitate, grad de recepţii psihomotorii, temperament).

Desigur, deoarece ţine cont de marea variaţie individuală. Vă dau un exemplu: din tabele se deduce că la 8 luni se încadrează atât copilul care cântăreşte 7,3 kg, cât şi cel care cântăreşte 9,7 kg. Mă folosesc de această ocazie pentru a spune că evaluarea creşterii greutăţii nu trebuie lăsată în seama emotivităţii mamelor.

Un exces în alimentarea sugarului îl va duce pe acesta, în viitor, la obezitate?

Cum trebuie acţionat în cazul copiilor care cântăresc puţin?

Graficul procentelor este valabil şi pentru greutate?

Ce anume trebuie făcut în cazul în care creşterea copilului este cu adevărat lentă?

În cazul unei creşteri cu adevărat lente, este oportun să supuneţi copilul unui control medical. Infecţiile căilor urinare sunt deseori cauza unei creşteri reduse sau a unei stopări a creşterii. Din această cauză, este oportun să efectuaţi mai mult de un examen al urinei copiilor cu o creştere lentă sau stopată. În alte cazuri, este vorba de boli sau infecţii ale altor organe (amigdale, plămâni, intestin etc.). În aceste cazuri, este util să supuneţi copilul unor analize specifice (de sânge, exudat faringian, test pentru tuberculoză, analize pentru steatoree, test pentru sudoare etc.).

10. Dezvoltarea psihomotorie

Dezvoltarea psihomotorie constituie o sumă a tuturor deprinderilor care permit copilului să se elibereze de dependența față de adult și să facă parte din lumea care îl înconjoară, dându-i capacitatea de a se mișca, de a înțelege și a fi înțeles. Cuvântul „psihomotor" indică, în mod cert, că acea capacitate de mișcare a copilului nu este altceva decât manifestarea imediată și concretă a funcționării psihicului său. În realitate, definiția, prin care se ia în considerație doar capacitatea de mișcare pentru a evalua dezvoltarea psihicului copilului, este limitată. Este necesară o observare mai amplă și complexă cu privire la capacitatea micuțului de a intra în legătură cu lumea exterioară. Din această cauză, în prezent, există tendința de a prefera termenul *dezvoltare cognitivo-re-laţională*, deoarece pare mai corectă și mai completă luarea în considerație a întregului set de cunoștințe, nu numai cele motorii, pe care copilul le dobândește pe măsură ce crește. În manuale, pentru descrierea acestei dezvoltări și pentru a ne ușura înțelegerea, este necesară schematizarea, observându-se separat diferite etape și stabilind nivele cronologice. În realitate, nu este corect să vorbim despre etape, adică să afirmăm că un copil la 6 luni, de exemplu, trebuie să stea în fundulet, la 12 luni trebuie să meargă și așa mai departe. Dezvoltarea este influențată de factori multipli: constituție, ereditate, o bună stare sănătății, ambientul, elemente datorită cărora copilul poate fi mai precoce în ceea ce privește limbajul și mai lent în ceea ce privește mersul, sau poate să prezinte o aparentă întârziere, iar apoi să recupereze foarte rapid. Deci, mamele nu trebuie să se sperie dacă bebelușii lor nu urmează în mod riguros toate etapele indicate în cărți și reviste, dar trebuie să învețe să observe, zi cu zi, progresele, chiar și minime, dar constante pe care micuțul lor le dobândește. Deci, nu vorbim despre o cursă, ci despre o evoluție progresivă și constantă. Mamei și medicului pediatru le revine sarcina de a observa toate micile fațete ale dezvoltării psihomotorii a copilului, motricitatea, postura, adică atitudinea pe care o are în diferite situații, capacitatea de comunicare prin intermediul limbajului, jocul, vederea, auzul și alți parametri. Evaluăm acum dezvoltarea copilului începând să observăm nou-născutul.

Dezvoltarea cognitivo-relațională

Care este comportamentul în prima lună?

• Copilul privește chipul mamei, mai ales când este pus la sân.
• Încetează să plângă în momentul în care aude vocea mamei.
• Doarme mult, se trezește doar pentru masă, stă treaz și liniștit pentru scurt timp, apoi adoarme.
• Se liniștește dacă mama este prezentă, îl privește și îl răsfață.
• Caută contactul cu mama și dorește căldura corpului acesteia, atinge cu mâna sânul mamei în timp ce suge.
• Poate fi consolat, pe moment, și de către o altă persoană.
• Caută adesea sânul sau biberonul.
• Culcat pe spate, își ține membrele îndoite și capul întors într-o parte, își agită picioarele și mâinile, strânge cu putere un deget pus în mânuța lui.
• Când stă pe burtă, își ridică pentru o clipă capul.
• Uneori plânge scoțând sunete guturale.
• Reacționează la voci și sunete mișcându-se, tresărind sau plângând.

• Prinde sfârcul între buze, îl linge, îl suge mulţumit.
• În timp ce suge închide ochii, îi deschide din nou pentru a o privi pe mama, pare relaxat.
• Îşi suge degetul, baveta sau chiar bluziţa.

• Zâmbeşte la vederea chipurilor, la auzul vocilor şi la alte atenţii din partea celor din jur.
• Scânceşte întruna.
• Recunoaşte vocea mamei şi se întoarce spre direcţia de unde vine aceasta.
• Reuşeşte să emită unele sunete guturale sau chiar vocale.
• Doarme mai ales în timpul nopţii, iar în timpul zilei este treaz şi atras de mediul înconjurător.
• Reuşeşte să se consoleze cu mare uşurinţă ascultând vocea maternă, simţindu-se în apropierea mamei, sugând suzeta.
• Se dovedeşte că obiceiurile sale sunt constante.
• Urmăreşte cu privirea atât chipuri, cât şi obiecte în mişcare.
• Îşi ridică bine capul.
• Se dovedeşte a fi agitat la vederea mâncării, îşi mişcă vioi braţele şi picioarele, scâncind, ca pentru a cere ceva.
• Întins pe spate, încearcă să îşi ridice capul şi corpul; încearcă unele gesturi pentru a apuca obiecte.
• În mod alternant, în timpul mesei suge şi îşi priveşte mama.
• În poziţia şezând, îşi îndoaie genunchii.
• Se arată frustrat dacă i se ia un obiect care îi este drag.

• Mama este mai sigură pe sine şi cu privire la propriile-i „capacităţi" materne, este mai senină; treptat, începe să se ocupe iarăşi de interesele sale.

Care este comportamentul la vârsta cuprinsă între 2 şi 4 luni?

Şi mama?

Care este comportamentul la vârsta cuprinsă între 4 și 6 luni?

• Micuțul gângurește când i se vorbește și întinde brațele spre interlocutor.

• Râde zgomotos.

• Reacțiile lui variază în funcție de tonul vocii.

• Zâmbește propriei sale imagini ce se reflectă în oglindă.

• Întinde brațele spre un obiect, îl prinde și îl duce la gură.

• Stă treaz un timp mai îndelungat.

• Doarme de seara până dimineața devreme.

• Se consolează în diferite feluri (își bagă suzeta în gură, suge degetul mare etc.)

• Zâmbește în timp ce se joacă cu propriile mânuțe, le bagă în guriță, ascultă voci.

• La vederea biberonului începe să se agite, întinde brațele, deschide gura, gângurește.

• Când stă pe burtă, se ridică sprijinindu-se în mâni; culcat pe spate, își prinde genunchii.

• Își fixează privirea asupra propriei mâini și îi urmărește mișcările.

• Duce un obiect la gură cu ambele mâini.

• Apucă un obiect și îl ține cu ajutorul palmei și al ultimelor degete și, în acest timp, este în măsură să se ocupe de un alt obiect.

• Culcat pe spate, se rostogolește din această poziție și stă aplecat, fiind sprijinit.

• Poate fi în măsură să mănânce cu lingurița.

Și mama?

• Mama înțelege evoluția copilului și desprinderea inițială a acestuia de ea; acum se simte mai puțin necesară; deseori, își reia locul de muncă, în timp ce copilul începe perioada de înțărcare.

• Copilul recunoaște chipurile familiare; își manifestă primele reacții de teamă față de necunoscuți, la vederea cărora, deseori, izbucnește în plâns; îi zâmbește larg mamei pe care, totuși, o preferă în locul străinilor. Se arată mulțumit când își vede mama, o urmărește cu privirea.

• Doarme toată noaptea, adoarme cu ușurință, dar dorește să aibă alături o persoană dragă.

• Rostește primele silabe (da-da, ta-ta, ma-ma).

• Își amintește și recunoaște momente și situații obișnuite în cursul zilei.

• Stând pe burtă, se sprijină pe antebrațe, își eliberează o mână și apucă o jucărie; culcat pe spate, își prinde piciorușele și le duce spre gură; începe să stea în funduleț, cu brațele depărtate.

• Trece un obiect dintr-o mână în alta.

• Ținând obiectele între palmă și degete, le manipulează cu precizie.

• Mănâncă hrană semisolidă.

Care este comportamentul la vârsta cuprinsă între 6 și 8 luni?

• Mama își reia munca; deși este cuprinsă de sentimene de vinovăție, învață treptat să accepte desprinderea de copil, pentru a recunoaște individualitatea acestuia și pentru a-l lăsa și în grija altora.

Și mama?

• Strigat pe nume, micuțul răspunde.

• Comunică cu interlocutorii în mod evident intenționat.

• Plânge când un adult îi spune „nu".

• Uneori consimte să execute gesturi simple la cererea adultului.

• Se autoconsolează prin contactul cu diverse părți ale propriului corp sau cu ajutorul unui obiect care îi este drag (*obiect tranzițional*).

Care este comportamentul la vârsta cuprinsă între 8 și 10 luni?

• Dă cu obiectele de masă pentru a auzi, mulţumit, zgomotul pe care acestea îl produc, aruncând pe jos obiectele şi cerând să îi fie culese.

• Apucă obiectele folosind toate degetele de la mână.

• Stă singur în funduleţ şi, deci, devine mai autonom.

• Se deplasează „de-a buşilea", folosindu-şi cele patru membre; uneori, în schimb, nu face acest tip de mişcare, dar începe imediat să se ridice în picioare şi să meargă, sprijinindu-se de mobilă (sau de mâinile unui adult).

• Se ridică în picioare, din poziţie şezând, agăţându-se de un element sprijin, cu o uşurinţă evidentă.

• Indică obiectele care îl atrag şi le cere; se joacă manipulându-le cu vioiciune, învaţă conceptele „înăuntru" şi „afară".

• Se joacă cu propriile picioruşe, le apucă şi le duce la gură.

• Mănâncă singur un biscuit.

• Se manifestă cu bucurie la sosirea părinţilor, prin glas şi mişcări, şi cu durere sau furie când aceştia se îndepărtează.

• Repetă des aceleaşi silabe, pe care mama şi tata le interpretează ca fiind primele cuvinte.

• Îi place să facă băiţă.

• Are un ritm somn-trezie stabil; ziua este treaz mult timp şi se interesează de mediul care îl înconjoară.

• Îi place să repete gesturile pe care tocmai le-a învăţat, pentru a confirma ceea ce a dobândit.

• Întinde mânuţele spre adult, pentru a cere să fie luat în braţe; se înveseleşte când aude vocea mamei, chiar dacă aceasta se aude dintr-o altă cameră.

Şi mama?

• Mama îl ajută pe copil să comunice cu ceilalţi adulţi şi să dobândească o autonomie parţială, ajutându-l să devină, încetul cu încetul, un individ diferit de ea.

• Copilul este în măsură să înțeleagă ordine simple, dar rareori le urmează.

• Începe să pronunțe cuvinte scurte, repetă numeroase sunete bisilabice cu intenția evidentă de a numi obiectele pe care le dorește.

• Acceptă obiectele de la adult, dar le restituie numai cui vrea.

• Repetă mișcări și expresii verbale care generează laude din partea adultului.

• Apucă obiectele, chiar și pe cele mici, în mod perfect, între arătător și degetul mare, și le duce la gură, deoarece acesta este felul lui de a le explora. Dobândește o majoră autonomie motrice: se așază, se ridică, se așază din nou singur; merge cu picioarele depărtate și cu mâinile întinse.

• Merge pe distanțe mai lungi, dacă este ținut de mână.

• Dobândește tot mai mult interes față de lumea care îl înconjoară și vrea să obțină progrese continue, repetând ceea ce vede că face adultul.

• Se întristează când părinții dispar din raza lui vizuală, dar reușește să se autoconsoleze cu obiecte dragi pe care le ține lângă el.

• Apreciază mâncărurile noi, mai gustoase, vrea să încerce să bea singur.

• Adoarme cu ușurință; somnul este prevalent nocturn, ziua doarme pentru perioade foarte scurte.

• Îi place să se joace cu adultul; jocul se bazează pe imitarea acestuia din urmă; în timp ce se joacă, micuțul comunică prin „lălăire".

• Descoperă noi părți ale propriului corp și vrea să își ajute mama când aceasta îl îmbracă, îl spală, îl hrănește.

• Mama este foarte satisfăcută de noile și prețioasele progrese ale copilului ei, chiar dacă acestea, deseori potențial periculoase, sunt pentru ea o sursă de mare

Care este comportamentul la vârsta cuprinsă între 10 și 12 luni?

Și mama?

neliniște. Acceptă separarea de micuț (chiar dacă de cele mai multe ori cu neplăcere). Face primele tentative de organizare a vieții cotidiene.

DEZVOLTAREA ACTIVITĂȚII MOTRICE

La naștere

Copilul, lăsat în poziție culcat pe spate, tinde să țină capul răsucit într-o parte și membrele îndoite și apropiate de corp.

La o lună și jumătate

Culcat pe spate, își ține capul pe aceeași axă cu corpul; întins pe burtă, și-l ridică și reușește să și-l țină drept pentru scurt timp.

La 3 luni

Este în stare să își ridice bine capul. Culcat pe burtă, se ridică sprijinindu-se pe antebrațe; pus pe spate, își îndoaie genunchii. Încearcă să se rostogolească din poziția culcat pe spate în cea culcat pe burtă.

La 4 luni

În poziție culcat pe burtă, se ridică sprijinindu-se pe mâinile îndepărtate; când este pus în poziție șezând, își apleacă corpul înainte. Încearcă să apuce obiectele ținându-le între palmă și degete, apoi încearcă să le ducă la gură.

La 5 luni

Își îmbunătățește abilitatea de a se ridica de la orizontală în poziția aplecat și dobândește capacitatea de a o face din poziția culcată (culcat-aplecat și invers) răsucindu-se. Apucă obiectele cu degetul mare și cu primele două degete de la mână.

La 6-7 luni

Stă în funduleț câteva clipe, sprijinindu-se aplecat în față, cu mâinile întinse; se odihnește bine atât în poziție pe spate, cât și pe burtă (reușind să își apuce picioarele și să le ducă la gură).

În poziție culcat pe burtă, se sprijină pe o singură mână, iar cu cealaltă apucă un obiect din fața sa; trece obiectele dintr-o mână în cealaltă. **La 7 luni**

Este capabil să stea în funduleț pentru mai mult timp, să stea în picioare prins de un obiect de sprijin și să se meargă de-a bușilea. Apucă obiectele cu toată mâna, le dă adultului și le ia înapoi. **La 8 luni**

Reușește să se ridice în picioare sprijinându-se de ceva și se deplasează mai bine de-a bușilea. **La 9 luni**

Se așază singur în funduleț; stă în picioare fără sprijin, cu brațele depărtate. **La 10 luni**

Se ridică în picioare fără sprijin; în poziție dreaptă, își extinde baza de sprijin și își răsucește bazinul. **La 11 luni**

Face câțiva pași, dacă este ținut de mână. Apucă obiectele în mod corect. **La 12 luni**

Merge singur, se ridică după ce cade, își ține corpul destul de drept când merge. **La 14 luni**

Merge fără să își extindă baza de sprijin și face câțiva pași în fugă. **La 18 luni**

Urcă scările singur, se cațără pe scaune și mese, pune obiectele unul peste altul. **La 24 luni**

11. Şi acum, să ieşim!

În legătură cu ieşirile din casă împreună cu nou-născutul, veţi avea ocazia să au-
ziţi o mulţime de păreri din partea aşa-zişilor „experţi” din familie! Nu-i luaţi
în seamă. Puteţi ieşi din casă cu micuţul dumneavoastră, chiar şi imediat, cu
condiţia ca acest lucru să nu vă creeze probleme de organizare! Dacă nu vă
simţiţi gata să o faceţi, staţi în casă, deschideţi ferestrele şi daţi copiilor dum-
neavoastră ocazia să ia un strop de aer proaspăt, îmbrăcându-i, evident, în
funcţie de anotimp. În privinţa concediilor, aş vrea să subliniez că acestea nu
trebuie uitate. În primul rând, să nu consideraţi concediile ca fiind o terapie
pentru copil, deoarece, dincolo de lucrurile banale, în prezent există puţine boli
infantile care să solicite o şedere specifică la mare sau la munte. Şi la urma
urmei, chiar şi în cazul acestora, timp de câteva zile copiii pot trage foloase de
pe urma unei călătorii care poate dura două săptămâni. În al doilea rând,
bucuraţi-vă de concedii: copiii trebuie să fie duşi în vacanţe pentru a se putea
bucura de soare şi aer curat. Deci, să nu vă fie teamă să îl ţineţi, indiferent de
vârstă, în aer liber şi la soare. În fine, bucuraţi-vă de fiecare zi pentru a obţine
un beneficiu fizic şi pentru a vă relaxa din punct de vedere mental. Acest sfat
este valabil pentru toată familia, nu numai pentru copii, deoarece vacanţele
sunt pentru toată familia, după un an obositor.

PLIMBAREA

Plimbarea este importantă?

Plimbarea este un moment important al zilei pentru copil. De fapt, reprezintă primele contacte ale acestuia cu lumea exterioară. Avantajele plimbării sunt evidente atât în plan fizic (îmbunătăţirea apetitului, relaxare) cât şi din punct de vedere al dezvoltării psihomotorii, datorită numeroşilor stimuli care îl solicită pe copil în timpul contactului cu lumea exterioară.

Când să începem să facem primele plimbări?

În anotimpurile favorabile, adică primăvara, vara şi toamna, nou-născutul trebuie să iasă din casă imediat ce a ieşit din spital. În plină iarnă, aveţi nevoie de câteva zile de aşteptare (cel mult o săptămână), mai degrabă pentru a-l observa, decât pentru organizare, dar fără a amâna mult: într-o zi mai blândă, alegând orele mai calde şi locurile mai însorite, puteţi scoate copilul la plimbare chiar şi în timpul iernii. Din clipa în care acest lucru a devenit un obicei, puteţi merge la plimbare în fiecare zi, în funcţie de starea sănătăţii şi de timpul disponibil al mamei. De fapt, nu trebuie să fie o obligaţie, ci o plăcere atât pentru mamă, cât şi pentru copil. Cu alte cuvinte, dacă plimbarea creează mari probleme de organizare pentru familie (alţi copii, soţul, cina, obligaţii neprevăzute etc.), pur şi simplu nu ieşiţi la plimbare în acea zi! În acest caz nu va trebui decât să deschideţi fereastra pentru a lăsa să intre puţin aer proaspăt şi razele soarelui să îl mângâie pe micuţ.

Cât trebuie să dureze plimbarea?

Cât doriţi şi, mai ales, cât vă este comod din punct de vedere organizatoric. Practic, nu există limite de timp pentru un copil care doarme liniştit în cărucior.

Evident, limitele sunt condiţionate de faptul că, la un moment dat, i se face foame micuţului. În acel moment, fie sunteţi foarte organizată, fie trebuie să vă întoarceţi acasă.

Ca multe aspecte din viaţa copilului, mai ales cele cu privire la raporturile acestuia cu natura, şi momentul plimbării poate crea o mulţime de obiceiuri proaste. Înainte de toate, este teama faţă de frig: această teamă îi obligă pe mulţi bieţi copii să îşi petreacă iarna izolaţi în casă, respirând aerul viciat al mediului care îl înconjoară şi care nu este aerisit niciodată, tocmai de teamă să nu intre frigul. Copilul trebuie să iasă, chiar şi pe timp de iarnă, cât mai mult posibil. Chiar şi atunci când plouă, ninge, este ceaţă sau temperatura se situează sub zero grade! Mamele vor avea ocazia să constate cum, chiar şi în zilele cele mai friguroase ale iernii, copilul aşezat în căruciorul său, care îi asigură o căldură plăcută, are faţa şi mânuţele calde. În căruciorul lui se creează un soi de microclimă uniformă, deci un mediu ideal pentru micuţ, care nu se teme de clima aspră, ci de schimbări bruşte de temperatură. Din această cauză, este mai bine să evitaţi plimbările în zilele cu vânt puternic, atât iarna, cât şi la începutul primăverii, sau toamna târziu. Rafalele de vânt rece pot pătrunde în cărucior, modificând dintr-odată clima uniformă care se crease. În schimb, datorită acestui fapt, plecând de la aceeaşi idee, nu aveţi de ce să vă temeţi de zilele cu ceaţă, ploaie sau ninsoare, deoarece, în aceste condiţii, clima este uniformă. Evident, în oraşele în care vântul este o constantă, copiii pot fi scoşi la plimbare şi în zilele cu vânt, deoarece fiecare copil se adaptează la clima locului său natal.

Se pot face plimbări şi când vremea este urâtă?

Şi acum, să ieşim!

Este adevărat că trebuie să fim foarte precauţi în ceea ce priveşte scoaterea copilului la plimbare în aer liber?

Evident, este un obicei vechi, care continuă să fie prezent la unele persoane „care nu ţin pasul cu vremurile", de a ţine copiii închişi în casă în primele 40 de zile după naştere. În unele zone rurale (dar nu numai), acest obicei continuă să fie foarte bine înrădăcinat. Este ridicolă şi recomandarea făcută mamelor, uneori chiar şi din surse cu autoritate, de a recurge la o adaptare treptată în privinţa plimbărilor, amânând prima zi de ieşire şi crescând treptat perioada de ieşire din casă (în primele zile câte zece minute, apoi cincisprezece, douăzeci etc.). Este adevărat că în prezent trăim în oraşe foarte poluate, dar este la fel de adevărat că, în timpul plimbărilor, micuţul respiră acelaşi aer, poate ceva mai puţin viciat decât cel dintr-o casă cu ferestre închise. Ce semnificaţie are atunci sfatul cu privire la „adaptare"? În schimb, este importantă alegerea locului pentru plimbare, alegere ce trebuie făcută cu bun-simţ. Evident, parcurile şi grădinile sunt locurile ideale, dar nu întotdeauna disponibile. Chiar şi zonele pietonale sunt bune. Trebuie să evitaţi străzile în care traficul maşinilor este intens, deoarece nu trebuie să uitaţi: cărucioarele sunt la înălţimea ţevilor de eşapament ale automobilelor.

Cum trebuie să îmbrăcăm copilul?

Şi în legătură cu plimbarea, mă văd obligat să vă spun ceea ce, de regulă, spun cu privire la îmbrăcăminte (şi mă repet, cu riscul de a deveni plictisitor, deoarece este important). Din păcate, în cultura noastră mai sunt încă înrădăcinate, aşa cum am văzut, teama faţă de frig şi convingerea că un copil trebuie să îl resimtă mai mult decât un adult. Şi din această cauză, vedem copii care sunt scoşi la plimbare prea îmbrăcaţi. Încă din zilele de vară, când întâlnim mama cu braţele descoperite şi fără ciorapi, copiii acestora sunt acoperiţi cu pulovere, ghete şi salopete. Ca să nu mai vorbim de ceea ce se întâmplă în primele zile de toamnă, când apar acei „scafandri de la Polul Nord" ce poartă tot felul de haine căptuşite cu puf. Şi cu privire la garderoba ce trebuie folosită pentru plimbare este nevoie de bun-simţ. Dacă mama simte nevoia de a purta un pulover, atunci şi micuţul va trebui să poarte unul. Dacă mama simte că este necesar să poarte o pălărie, atunci şi copilul va purta o căciuliţă. Dacă mama poartă o haină de blană sau o geacă cu puf, şi copilul va purta îmbrăcăminte căptuşită. Controlaţi dacă bebeluşul este cald sau dacă, pur şi simplu, transpiră, şi reparaţi această situaţie în zilele următoare. A acoperi copilul foarte mult înseamnă să îl chinuiţi, să îl faceţi să transpire, adică să îi creaţi o stare de disconfort. Dar este natural şi de înţeles faptul că la început există tendinţa de a exagera.

Este important să expunem copilul la soare în timpul plimbărilor?

Da. Treptat, dar cu o suprafaţă a pielii cât mai mare, evident în funcţie de compatibilitate şi de anotimp. Fără reţineri, ezitări sau temeri nemotivate. Soarele este cea mai naturală vitamină pentru copil; de fapt, el transformă vitamina D din piele în vitamina D activă. Vitamina D este vitamina frumuseţii.

CĂLĂTORIILE

În prezent, spre deosebire de anii trecuţi, se poate spune că viaţa se desfăşoară în funcţie de modul de transport: în prezent, automobilul, trenul, avionul sunt lucruri obişnuite pentru copii.

Şi acum, să ieşim!

La ce vârstă poate începe copilul să călătorească?

Copilul poate călători cu maşina, cu trenul sau cu avionul, încă din primele zile de viaţă. În plus, cu cât copilul este mai mic, cu atât mai puţine probleme vor exista.

Ce mijloc de transport să preferăm?

Pentru sugari, vă sfătuiesc să alegeţi mijlocul de transport în funcţie de lungimea itinerariului. La această vârstă, călătoria ideală nu trebuie să dureze mai mult de 3-4 ore, intervalul dintre mese. Nu datorită unei eventuale neplăceri fizice, ci din motive de organizare. Mai ales dacă bebeluşul este alăptat la sân. Alăptarea cu lapte artificial pune şi mai multe probleme decât alăptarea la sân. Laptele matern este mereu disponibil la temperatura optimă. În cazul alăptării artificiale, este necesar laptele în biberon. În legătură cu acest lucru vreau să vă amintesc că în multe ţări laptele este administrat la temperatura mediului. Deci, în cazuri extreme, puteţi da copilului lapte şi fără a-l încălzi. În orice caz, pentru călătorii lungi trebuie să vă asiguraţi cantităţi necesare de scutece, provizii alimentare suficiente şi, mai ales pentru călătoriile în timpul verii, o rezervă de lichide: apă, ceai de muşeţel, care trebuie administrate pentru a preveni deshidratarea şi creşterea temperaturii.

Cum să ne deplasăm pentru călătoriile lungi?

Pentru călătorii lungi este de preferat să folosiţi trenul şi avionul. Trenul este un mijloc de transport optim, deoarece permite micuţului să se mişte şi să se distreze. Pentru cei mai mici sunt valabile aceleaşi observaţii făcute cu privire la întrebarea anterioară: alimentaţie, lichide atunci când este cald, schimburi etc. Călătoria cu avionul este ideală pentru distanţele mari şi nu creează nicio problemă sugarilor. Aerul condiţionat, temperatura constantă creează un mediu satisfăcător. Singurul mic inconvenient este cauzat de o uşoară durere de urechi care, uneori, apare când avionul este pe punctul de a ateriza. Călătorii obişnuiţi ştiu că semnalul de aterizare este dat, înainte să audă anunţul comandantului, de apariţia unor mici icnete din partea bebeluşilor care sunt la bord. Imediat ce avionul atinge pământul, jena dispare şi copilul se simte iar bine. Pentru călătorii cu avionul care durează mai mult de trei ore, sunt valabile recomandările deja făcute cu privire la mijlocul de transport pe care să îl folosiţi.

În general, în primii 2-3 ani, copilul nu suferă de dureri de urechi. După această vârstă, tulburarea se poate manifesta prin prezenţa palorii, greaţă, vomă, transpiraţie rece şi durere de cap. Indicaţiile date pentru prevenirea acestei stări sunt numeroase, dar niciuna, din păcate, nu se dovedeşte a fi de încredere: de exemplu, să se evite plecarea în călătorie imediat după ce s-a luat masa (să aşteptaţi două ore); este preferabil să se consume mâncăruri solide şi să se menţină o temperatură adecvată. Un sfat bun, nu întotdeauna uşor de urmat, este ca micuţul să stea aşezat, cu bustul ridicat, fără să se agite prea mult. Se dovedeşte util ca, înainte de plecare, să administraţi câteva picături sau o linguriţă de medicamente antihistaminice. Maşina este mijlocul de locomoţie ideal pentru deplasări pe distanţe de 150-300 km. Cu recomandarea de a pune în aplicare toate normele de siguranţă. Încă mai vedem copii care stau pe scaunele din faţă fără niciun fel de protecţie!

Copiii suferă de durere de urechi?

MARE SAU MUNTE

Bătrânul, înţeleptul şi expertul medic pediatru v-ar spune că, în general, muntele sau marea îi sunt de folos copilului mai mult sau mai puţin, în funcţie de

Este mai bine la mare sau la munte?

137

ceea ce le place părinţilor. Puţini sunt copiii care suferă de boli ce necesită cu adevărat un sejur la mare sau la munte, deoarece vilegiatura nu trebuie privită ca o intervenţie terapeutică, ci ca o perioadă de recreere, seninătate şi odihnă pentru toată familia. Este important să îi ducem pe copii în localităţi unde pot veni mai uşor în contact cu natura, cu aerul curat şi cu soarele, departe de orice tip de poluare. Ar fi oportun să îi duceţi în locuri care se deosebesc de cele în care trăiesc de obicei. În prezent, aproape toţi copiii îşi petrec aproape timpul în cutii de ciment şi cărămizi (nici măcar creşa sau şcoala nu sunt altfel) şi rareori pot beneficia de aer şi soare.

Care este cel mai bun loc pentru vacanţele micuţului?

Mare, munte, deal, câmpie, toate sunt la fel de bune. În realitate, important nu este unde anume să nu mergeţi, ci cum să vă petreceţi ziua pentru a vă fi de folos din punct de vedere fizic şi de a beneficia de odihnă mentală. Nu doar copiii trebuie să se simtă bine, ci toată familia!

Când se poate merge la mare?

Indiferent de vârsta copilului, adică din primele zile de viaţă. Nu trebuie să vă mire acest răspuns: v-aţi pus întrebarea ce altceva ar face micuţii care se nasc în localităţi din apropierea mării?

Care sunt lunile cele mai bune pentru a merge la mare?

În orice anotimp, deoarece nu există contraindicaţii cu privire la anotimpuri. Pentru cei mai mici, tot anul, dar dacă vrem să îi ducem pe copii la mare (ceea ce merge pentru cei mai măricei) pentru a se bucura de soare, lunile cele mai indicate sunt cele în care în mod sigur există soare şi când acesta poate scălda o suprafaţă mai mare a corpului copilului (cu alte cuvinte, copii trebuie să poată sta în costum de

baie, sau mai degrabă dezbrăcaţi). Deci: de la jumă-
tatea lunii iulie, august, septembrie în regiunile sep-
tentrionale; iunie, iulie, august, septembrie în cele
meridionale.

Cât timp se poate sta la mare?

Nu există limită de timp deoarece, aşa cum am spus,
vacanţa nu trebuie privită ca o terapie sau ca un me-
dicament (de câte ori pe zi, cât timp?). Trebuie să staţi
cât doriţi, în funcţie de disponibilitatea timpului şi de
cea materială. Dar trebuie să vă amintesc că ducerea
unui copil într-un loc diferit de cel în care trăieşte de
obicei presupune o perioadă de acomodare şi adap-
tare, chiar dacă această perioadă e scurtă. Nou-năs-
cuţii şi sugarii nu au nevoie de aşa ceva, dar, după al
doilea an de viaţă, acest lucru devine din ce în ce mai
necesar, mai ales în lunile calde. Din această cauză, ar
fi oportun să staţi la mare cel puţin zece zile, pentru
a permite copilului să se acomodeze bine şi să tragă,
apoi, foloase depline de pe urma sejurului la mare.
Unii continuă să spună că dacă se stă la mare o pe-
rioadă mai îndelungată, copilul devine agitat. Îmi
doresc ca oamenii să înceteze a mai spune lucruri care
cauzează temeri inutile. În rest, pe măsură ce timpul
trece, nu sunt mulţi aceia care îşi pot permite călăto-
rii deosebit de lungi. Desigur, celor mai norocoşi le
putem spune că micuţul poate sta la mare cât doreşte.

Ce localităţi să alegem?

Niciuna nu este mai bună decât cealaltă; orice locali-
tate de la malul mării este adecvată pentru o vacanţă.

Cum să ne petrecem ziua la mare cu sugarii?

În perioadele de iarnă şi de primăvară, faceţi plim-
bări pe faleză sau în locuri însorite şi să nu vă temeţi
să ţineţi copilul afară timp de mai multe ore (chiar şi
4-5 ore pe zi, dimineaţa şi după-amiaza). Puteţi pe-

trece câteva ore pe plajă în zilele cu vânt slab. Să nu vă fie teamă să îi dezgoliţi picioruşele şi mânuţele şi să i le expuneţi la soare; şi faţa poate beneficia de razele soarelui, dar cu atenţie. Copiii dorm cu plăcere în căldura plăcută şi blândă a soarelui. Trebuie să se întoarcă de la mare puţin bronzaţi, nu din motive estetice, ci de sănătate. Razele soarelui transformă vitamina D inactivă, care se regăseşte în piele, în vitamina D activă. Iată avantajele soarelui. Să nu vă fie teamă de el, căci este un adevărat prieten pentru copiii care vor să crească bine! În timpul verii, şi sugarii pot fi duşi la plajă un timp mai îndelungat. Îi puteţi dezbrăca, chiar şi imediat, dar trebuie să îi ţineţi la umbră şi unşi cu creme cu grad de protecţie ridicat. Nu uitaţi că razele soarelui „ricoşează" când ating nisipul: la început, copiii trebuie să stea sub umbrelă, şi abia după o săptămână îi puteţi expune direct la soare, dar tot protejaţi cu ajutorul cremelor, în primele ore ale dimineţii (9:30-10:30), pentru scurt timp.

Sugarii pot face baie?

Sugari pot şi trebuie să facă baie. Trebuie să procedaţi astfel: dimineaţa, imediat ce ajungeţi pe plajă, umpleţi bărcuţa, sau orice alt vas în care să poată încăpea copilul, cu apă de la duş (apă de la duş, nu apă de mare, deoarece nu îi cunoaştem gradul de poluare), lăsaţi apa să se încălzească la soare şi, apoi (după ce verificaţi temperatura acesteia), îi puteţi face baie copilului. Sugarii, contrar spuselor obişnuite, pot sta mult timp la plajă, totul nefiind decât o chestiune de organizare. Chiar şi în orele calde, copilul se simte, în mod sigur, mai bine la malul mării, sub umbrelă şi atins uşor de briza marină, decât în camera caldă a unei pensiuni sau a unui apartament!

Cum să ne petrecem ziua la mare cu copiii mai măricei?

Copiii mai măricei sunt cei care beneficiază într-o mai mare măsură de avantajele unei şederi la mare. Vă sfătuiesc ca dimineaţa să vă duceţi la plajă atunci când convine întregii familii (nu dimineaţa foarte devreme, cum spun unii). Să spunem în jur de 9:30-10. Acesta este şi concediul mamei şi al tatălui, deci nu este cazul să li se impună să se trezească de dimineaţă (părinţii fac acest lucru tot anul). Lăsaţi copilul să facă tot ceea ce doreşte. Nu îl sâcâiţi cu atenţionări continue: „Nu face asta, nu face aia. Fii atent la asta, nu te duce în apă, că abia ai mâncat micul dejun, ieşi că ţi-e frig etc." Nu uitaţi că este şi vacanţa lui. Nu îl acoperiţi cu bluziţe, scufiţe, căci l-aţi adus la mare pentru pentru soare, nu pentru a-l face să se plimbe pe plajă îmbrăcat. Desigur, în primele zile trebuie să fiţi atenţi la arsuri. Deci, folosiţi creme cu factor mare de protecţie (nu uitaţi şi partea din spate a picioarelor!), spălaţi-i des părul şi, dacă micuţii încă nu au părul des, atunci puneţi-le pălăriuţa.

Ce precauţii să luăm cu privire la schimbarea climei?

Puţine, dar importante. Trecerea de la clima de munte la cea marină le poate provoca unora dintre micuţi tulburări ce se manifestă printr-o uşoară lipsă de apetit, limbă alburie, creştere a senzaţiei de sete, iar în cazuri mai evidente (foarte rare), stări de vomă şi constipaţie, fapt pentru care precauţiile trebuie să se îndrepte spre aceste probleme. În primele 2-3 zile, inclusiv în ziua deplasării, trebuie să diminuaţi alimentaţia copiilor, cu excepţia cazului în care este vorba de sugari până în luna a şasea. Ce înseamnă să reduceţi alimentaţia? Înainte de toate, să reduceţi grăsimile (lapte, ouă, unt şi brânzeturi, ciocolată, creme, smântână) şi să nu exageraţi în priviţa cantităţilor. Prin aceste precauţii minime, adaptarea se va face în 2-3 zile.

Şi acum, să ieşim!

Ce măsuri de precauţie să luăm în cazul deplasărilor lungi?

Indiferent de vârsta copilului, deci şi pentru sugar, în cazul în care acesta nu este alăptat la sân, trebuie să reduceţi alimentaţia. Dar, atenţie, mai ales în cazul sugarilor, nu trebuie să îi lipsească lichidele. Se reduce laptele, dar nu cantitatea de lichide; de exemplu, se pun mai puţine măsuri de lapte, dar folosiţi aceeaşi cantitate de apă, sau, în cazul laptelui de vacă, administraţi un lapte mai diluat, adică mai multă apă şi puţin lapte, deoarece există pericolul deshidratării, mai ales dacă este foarte cald. Din această cauză, deplasările trebuie să fie însoţite, întotdeauna, de provizii de ceai de muşeţel sau alte lichide (ceai slab, apă îndulcită) şi să i le oferiţi copilului, în biberon, mai ales când călătoriţi mult cu maşina sau cu trenul!

Până la ce altitudine putem duce copilul?

Copilul poate fi dus, la orice vârstă (şi, când spun orice vârstă, înseamnă că este vorba şi despre nou-născut), la orice altitudine, evident în limitele atinse de către un adult în condiţii normale, adică în zone locuite. De aceea, se poate urca, fără probleme, şi spre localităţi alpine situate la 2 000 de metri.

Este adevărat că micuţii, în primul an, nu trebuie să treacă de altitudinea de 1 000 de metri?

Din păcate, întâlnim „experţi" care spun că micuţii, în primul an de viaţă, nu pot să urce mai sus de 1 000 de metri altitudine. Aş vrea să le conving pe mame să nu îi asculte, printr-un simplu raţionament deductiv. Multe mame care locuiesc în localităţi alpine şi care coboară pentru a naşte în spitale din zona de câmpie ar trebui oare să îşi abandoneze copilul în spital timp de un an, sau să îşi părăsească propria casă, aşteptând ca acesta să crească?

Da, desigur. Din păcate, unii dintre „experţii în materie de copii" vă sfătuiesc ca mai întâi să asiguraţi parcurgerea unor etape. Nu reuşesc să îmi imaginez cum, cu toate pregătirile necesare, va trebui să plecăm de marţi pentru a ne putea bucura de un sfârşit de săptămână la munte!

Sugarii pot fi duşi la munte în weekend?

Este ceva adevărat în această afirmaţie. Coborârea cu rapiditate de la o anumită altitudine duce la creşterea presiunii în urechi, ceea ce poate provoca o uşoară durere, în cazul în care urechile au canale interioare „astupate" (de pildă, în cazul răcelilor). La copiii mici, canalele sunt mai puţin deschise şi, deci, ca şi la un adult răcit, resimt uşor schimbările de presiune. Dar acest lucru se întâmplă atunci când schimbarea este rapidă. De exemplu: avionul în momentul în care începe aterizarea, deoarece coboară mult mai repede decât o maşină care coboară dintr-o localitate montană. Sugarilor le este de ajuns, pentru a uita de durerea din urechi, să sugă o suzetă sau un biberon.

Este adevărat că mai sus de o anumită altitudine, sugarii pot suferi de dureri de urechi?

Viaţa la munte este mai puţin diferită de viaţa la oraş, în comparaţie cu cea de la mare, deoarece lipseşte obiceiul de a merge la plajă. Şi la munte puteţi duce o viaţă liniştită, liberă, cu plimbări, bucurându-vă de soare, dar este evident că trebuie să acordaţi o atenţie în plus felului în care îmbrăcaţi copilul, deoarece chiar şi un nor trecător poate, pe neaşteptate, şi mai ales la altitudini mari, provoca scăderea temperaturii. În cazul în care dezbrăcăm copilul, deoarece s-a încălzit la soare, acesta riscă să răcească dacă temperatura scade pe neaşteptate.

Cum să ne petrecem şederea la munte?

Şi acum, să ieşim!

Sugarul sănătos poate merge oriunde, fără limite de timp?

Da, dar acest lucru nu înseamnă că este obligatoriu să o facă. Dar dacă le face plăcere părinţilor, dacă acest lucru nu implică probleme de organizare şi pericole, încă din primul an de viaţă copilul poate şi trebuie să îşi urmeze familia mereu şi oriunde.

Dacă am dori, cu orice preţ, să atribuim concediului un rol „terapeutic", cum trebuie reglementat acest lucru?

Prin şederea la mare, pot beneficia de anumite foloase, mai ales ca urmare a unei atente şi îndelungate expuneri la soare, copiii cu erupţii, cei cu constituţie anemică, cei cu amigdalită, care îşi petrec toată iarna suferind de inflamaţii ale nasului şi gâtului, copiii care tuşesc tot anul, copiii astmatici. Multe mame se plâng că, în ciuda celor două luni la mare, copilul continuă să tuşească în timpul iernii. Evident, aceşti copiii vor suferi mai puţin de tuse şi inflamaţie când sunt la mare; totuşi, odată cu întoarcerea acasă, revin şi problemele legate de infecţiile invernale, tipice vârstei şi care, printre altele, fac parte din procesul normal de „imunizare" a copilului (producerea anticorpilor de către micul său organism). Muntele face bine tuturor. Nu este indicat doar pentru o anumită boală. Poate aduce o scurtă îmbunătăţire formelor de bronşită astmatică. Muntele este preferat de unele mame deoarece, de multe ori, copiii dau dovadă de mai multă poftă de mâncare. Este adevărat, copiii mănâncă mai mult la munte şi, deseori, capătă mai multă culoare, în timp ce la mare mănâncă mai puţin. Dar este vorba despre un rezultat fals: la munte, micuţii prezintă o stare bună imediată, în timp ce şederea la mare îşi arată efectul benefic în timp, deoarece este legat de soare.

Nu. Amintiţi-vă că mai există şi câmpie şi deal: locuri minunate, unde copiii se pot bucura de soare, aer pur, seninătate şi linişte. Nu uitaţi aceste locuri atunci când alegeţi unde să mergeţi în timpul concediilor dumneavoastră.

Şi acum, să ieşim!

Este obligatoriu să alegem dacă mergem la mare sau la munte?

12. Organele de simț

Dezvoltarea organelor simțului este o fază foarte importantă a creșterii și trebuie să fie urmărită cu atenție, dar fără anxietăți sau temeri deosebite din partea părinților. În acest capitol vom vedea cum „capătă formă" vederea, auzul, mirosul, gustul și pipăitul copiilor și care sunt problemele ce pot să apară.

Vederea

Copilul poate vedea bine încă din primele zile de viață?

Nu chiar. Funcția văzului este prezentă chiar de la naștere, așa cum rezultă din faptul că nou-născutul, în momentul apariției neașteptate a unei lumini puternice, are tendința de a clipi. Totuși, ascuțimea vederii (capacitatea de a vedea clar detaliile unui obiect situat la mică distanță față de ochi) după o oră și jumătate de viață este de circa 30 de ori inferioară celei unui adult normal.

Când distinge chipurile?

Atunci când începe să zâmbească, în general pe la 2 luni. Medicul pediatru atent o întreabă întotdeauna pe mamă: „A început să zâmbească atunci când vă apropiați de el?"

Care sunt etapele de dezvoltare a funcției vizuale?

La 3 luni apare capacitatea de vedere binoculară (capacitatea de a vedea bine cu ambii ochii și fără devieri excesive) și copilul este capabil să urmărească bine chipul persoanei sau obiectul care se mișcă în preajma lui, atât la stânga, cât și la dreapta, atât în sus, cât și în jos, pe o rază destul de amplă (până la 180 de grade). Se observă că la 4 luni începe să distingă culorile. Între 6 luni și un an, copilul devine capabil să urmărească obiectele în toate mișcările acestora, ținând ochii aproape drepți. La această vârstă apare o altă funcție: acomodarea, capacitatea de concentrare și de a vedea clar obiectele așezate la diferite distanțe, funcție care, totuși, se dezvoltă complet în jurul vârstei de 14 ani. Se observă că, la vârsta de 9 luni, acuitatea vizuală atinge 4/10. În jurul vârstei de un an atinge 5/10; vederea binoculară este dobândită în totalitate și ambii ochi se mișcă în mod complet coordonat. Vederea tridimensională, care începe să se manifeste deja la vârsta de un an, se dezvoltă complet abia în jurul vârstei de 5-6 ani. În concluzie, cu toate că funcţia vizuală este prezentă la naştere, evoluţia completă a acesteia are loc lent, probabil tocmai datorită complexităţii remarcabile a acesteia.

Unii copii au o lăcrimare continuă: despre ce este vorba?

Este vorba de o ocluzie parţială sau completă a canalului naso-lacrimal. Canalul naso-lacrimal este un mic canal care descarcă în nas o secreţie umedă, naturală şi constantă, a ochiului. Uneori, este posibil ca, la naştere, acest canal să fie închis sau astupat parţial; în consecinţă, neputându-se descărca, secreţia se revarsă din ochi, provocând o lăcrimare continuă, însoţită uneori de o secreţie alburie. Lăcrimarea se accentuază când copilul este scos din casă şi vine în contact cu aerul mai rece. Ca tratament, este suficient să spălaţi ochii micuţului de două ori pe zi cu o soluţie fiziologică şi să aşteptaţi ca acest canal să se deschidă treptat; acest fenomen se manifestă mai ales în primele 6 luni de viaţă. Dacă, în cazuri extrem de rare, lăcrimarea persistă invariabil, medicii oculişti vă sfătuiesc, şi nu greşesc, să efectuaţi o irigare a canalului naso-lacrimal pentru a-l elibera complet Acest tratament este destul de traumatizant, fapt pentru care medicii pediatri nu sunt întotdeauna de acord. În următoarele 6 luni, micul canal se va deschide în mod natural. În caz contrar, va fi necesar să urmaţi sfatul medicului oculist.

Trebuie să ne facem griji dacă ni se pare că micuţul are strabism?

Aproape niciodată. Îndeosebi la sugar, se poate considera fiind normal faptul că uneori un ochi, alteori ambii ochi, prezintă o deviere, mai ales în momentul când micuţul fixează un obiect sau chipul mamei.

Acest fenomen de *necoordonare motorie* se poate manifesta şi deoarece ochiul, ca şi restul organismului, în primele luni de viaţă, încă nu este „expert" din punct de vedere al funcţionării sale. Pe măsură ce copilul va creşte, ochii vor învăţa, treptat, să funcţioneze bine în cuplu şi, la vârsta de un an, vor avea axele perfect paralele. În caz contrar, ar fi bine să mergeţi cu copilul la un medic oculist. Dacă la vârsta de 7-8 luni, un ochi deviază în mod evident în comparaţie cu celălalt şi dacă devierea este constantă, vă sfătuiesc să vă adresaţi imediat unui medic oculist, şi ar fi şi mai bine dacă acesta este un medic oculist specialist în copii.

Ce este strabismul?

Strabismul este o anomalie caracterizată printr-o deviere a axelor oculare, fapt pentru care acestea nu sunt paralele. Din această cauză, în timp ce copilul priveşte un obiect, un ochi „fuge" spre exterior sau interior. În cazurile cele mai grave de strabism, acest fenomen este „evident", adică este permanent, se observă cu uşurinţă şi are ca rezultat şi probleme estetice; în schimb, în cazuri mai uşoare (care sunt mai frecvente), este ceva mai „latent", adică se manifestă intermitent, ca de pildă atunci când copilul fixează cu privirea o jucărie.

Ce anume cauzează strabismul?

Strabismul la copil este cauzat mai mult de faptul că un ochi funcţionează mai bine decât celălalt. Rareori este cauzat de anomalii congenitale ale orbitei sau, mai ales, ale muşchilor care mişcă ochiul.

Ce anume este „pseudostrabismul"?

Un copil care, de exemplu, prezintă o cută foarte evidentă a membranei conjunctive în colţul interior al pleoapei sau are ochii prea apropiaţi sau prea depărtați ne face să ne gândim la strabism, deoarece ne lasă impresia că „își răsucește ochii", că „privește pieziș". În realitate, este vorba doar de o senzație a părinților. Oricum, dacă aveți dubii, adresați-vă medicului oculist.

Dacă strabismul este susținut de un viciu de refracție (mai simplu, dacă un ochi vede mai puțin bine), se va putea începe corectarea cu ajutorul ochelarilor; astfel, văzând mai bine datorită ajutorului pe care îl primește, ochiul se va îndrepta. O altă posibilitate terapeutică este cea numită „gimnastica ochilor". Aceasta constă într-o serie de exerciții vizuale cu ajutorul cărora ochii se antrenează pentru a deveni drepți, iar creierul reușește să suprapună cele două imagini. Totuși, unii medici oculiști consideră că aceste practici au o utilitate scăzută. În cazurile de strabism cauzat de unul sau mai mulți mușchi care mișcă ochii (fie că sunt prea lungi sau prea slabi, sau prezintă malformații), se efectuează o mică intervenție chirurgicală (în general nu înainte de 3 ani). Intervenția este scurtă, nu este periculoasă și dă rezultate foarte satisfăcătoare. Decizia trebuie să aparțină medicului oculist.

Cum se vindecă strabismul?

Pentru corectarea unei anomalii, nu atât de rară pe cât se crede, care poartă denumirea de ambliopie, caracterizată prin faptul că unii copii au un ochi care funcționează bine și unul care funcționează prost. Se „închide" de la sine cel care funcționează prost.

De ce unii copii au un ochi închis?

Când copiii au un ochi care funcționează mai puțin bine decât celălalt, creierul lor primește o imagine frumoasă și clară de la ochiul „bun" și una neclară

Ce este ambliopia?

de la ochiul „prost": fără ezitare, acesta şterge imaginea „urâtă", prezentându-i-o copilului doar pe cea „frumoasă". De aceea, activitatea ochiului mai slab este eliminată progresiv, până la anulare. Dacă acest fenomen durează ani de zile, acest ochi, într-un anume sens, se atrofiază (chiar dacă din punct de vedere anatomic este integru, îşi pierde capacitatea de a vedea), adică micuţul încetează să îl mai folosească. În acest caz se vorbeşte despre ambliopie, când acuitatea vizuală a unui ochi este inferioară cu 5 zecimi, mai exact, când capacitatea de a vedea de aproape detaliile unui obiect este mai mică decât jumătate faţă de cea a celuilalt ochi care, în schimb, este normală. Ambliopia este cea mai frecventă cauză a gravei reduceri a vederii la persoane ce au sub patruzeci de ani şi apare deoarece nu a fost făcută o prevenire corectă.

Cum putem înţelege dacă micuţul nu vede, sau vede puţin?

Dacă excludem strabismul şi malformaţiile grave, părinţii au puţine posibilităţi de a identifica, în primii ani de viaţă ai copilului, eventualele anomalii ale vederii. Între acestea se numără prezenţa unei pupile opace sau de culoare cenuşie, care indică boli destul de serioase, sau existenţa unui ochi care are dimensiuni mai mari decât celălalt, sau a unei pupile ca de pisică, ambele indicând prezenţa *glaucomului*. Un aspect curios este dat de prezenţa ochilor mari, fapt care, în general, este foarte apreciat din punct de vedere estetic, dar care, în realitate, indică prezenţa *miopiei*.

Când trebuie făcută prima vizită la medicul oculist?

În cazul în care nu există bănuieli sau dubii, după primul an de viaţă. În caz că aveţi bănuieli sau dubii, imediat ce acestea apar. Următoarele vizite se fac în jurul vârstelor de 3 şi 6 ani (înainte de grădiniţă şi de şcoala generală).

Auzul

Fătul percepe sunetele (sunt sunete care îi dau sentimentul de siguranţă: vocea mamei, bătăile inimii ei etc.) încă din timpul vieţii intrauterine. Deci, la naştere, copilul percepe bine zgomotele; de fapt, este uşor de observat faptul că, dacă bateţi din palme sau provocaţi un zgomot destul de aproape de chipul său, micuţul închide ochii imediat. Dar funcţia auditivă nu este încă dezvoltată complet, de pildă nu este capabil să localizeze sursa zgomotului.

La ce vârstă începe copilul să audă?

La 3 luni, sugarul întoarce capul spre locul de unde se emit sunete, capacitate care devine mai dezvoltată în lunile 6-7. În luna a şasea începe să individualizeze vocile familiare: recunoaşte chemarea mamei, se întoarce spre aceasta plin de bucurie şi îi zâmbeşte, încetul cu încetul începe să recunoscă vocea tatălui, pe cea a bunicilor şi aşa mai departe. La vârsta de un an, a dobândit complet capacitatea de a stăpâni funcţia auditivă: percepe sunetele îndepărtate şi apropiate şi reuşeşte să localizeze provenienţa acestora în spaţiu, aude, în mod evident, şi cuvintele şoptite, precum şi ticăitul unui ceas aflat la 3 centimetri de canalul său auditiv extern.

Care sunt etapele de dezvoltare a auzului?

Da, pentru a putea interveni la timp prin intermediul unei activităţi de reeducare. Cu cât se intervine mai din timp, cu atât mai mari sunt posibilităţile de a avea succes. În prezent, în centrele neonatale copiii sunt supuşi unui test sofisticat care permite, încă din primele zile, evaluarea funcţionării organului auditiv al copilului şi a capacităţii sale auditive. Uneori, pare că micuţul nu aude. În acest caz este important ca testul să fie repetat după circa o lună.

Este important să depistăm din timp posibile eventuale anomalii ale auzului?

Cum se poate evalua, practic, dacă micuţul aude bine?

Dacă la naştere copilul nu a fost supus unui test de verificare a auzului, este important să încercaţi să vă daţi seama dacă aude sau nu. Pentru a verifica acest lucru, este necesar să produceţi zgomote şi să evaluaţi reacţia copilului. Ştiind că sugarul de 2 luni este capabil să perceapă un stimul sonor destul de puternic, în timp ce la 6 luni reuşeşte să audă şi sunete cu intensitate mai mică şi chiar o voce care şopteşte, puteţi improviza „teste audiometrice casnice" rudimentare, ca de pildă loviţi marginea paharului cu ajutorul unei linguriţe, măriţi, dintr-odată, volumul sonor al televizorului şi observaţi care este reacţia copilului când sună telefonul. În schimb, nu este util să produceţi sunete mai intense şi însoţite deplasări de aer sau de vibraţii, ca de pildă zgomotul unei tobe, căderea unei oale, o uşă trântită. Sunetul trebuie să ajungă la copil pe neaşteptate, fără ca el să poată vedea sursa care îl produce. Dacă micuţul aude, răspunde imediat: tresare, clipeşte, încetează să sugă, plânge sau, dacă deja plângea, se linişteşte pe neaşteptate. Totuşi, atenţie, zgomotul trebuie să fie emis o singură dată şi reacţia trebuie observată cu foarte mare rapiditate, deoarece sugarul este capabil să selecţioneze imediat zgomotele şi, deci, nu reacţionează faţă de un al doilea sunet egal, judecându-l ca nefiind demn de luat în seamă. În jurul vârstei de 6-7 luni, copilul începe să se întoarcă, activ, spre sursa sonoră şi să o caute cu interes. Spre un an, se poate observa că răspunde chemărilor, chiar dacă acestea sunt pronunţate şoptit. Este importantă evaluarea din timp a eventualelor deficienţe auditive pentru a le semnala medicului, care va trebui să vă îndrume să duceţi copilul la un centru specializat în audiologie, pentru verificări mai aprofundate. În cazurile în care este vorba de o deficienţă importantă, se va aplica o proteză acustică, cât mai repede cu putinţă (dacă se poate, cu mult înainte de împlinirea vârstei de un an) şi se va începe o instruire adecvată a mamei. Imediat după aceea, se va trece la reeducarea copilului, atât în ceea ce priveşte auzul, cât şi în ceea ce priveşte limbajul.

Când trebuie să ne alarmăm în caz de întârziere a vorbirii?

În mod normal, sugarul începe să vocalizeze între 2 şi 4 luni, adică emite sunete guturale. La 6-8 luni începe să „lălăie", adică să emită silabe. De obicei, în jurul vârstei de 12-13 luni, pronunţă primele cuvinte. Variaţiile individuale sunt foarte ample, adică foarte diferite, unele chiar relevante, legate de mediul mai mult sau mai puţin bogat în stimuli. Părinţii trebuie să fie preocupaţi doar atunci când copilul nu comunică cu ceilalţi, nici prin cuvinte şi nici prin gesturi, sau când nu dă dovadă de vreo reacţie faţă de ceea ce i se spune (de exemplu, faţă de ordine simple). Şi atunci când intervine o stopare în evoluţia limbajului la un copil care îl dobândise în mod regulat, sau o maturizare excesiv de lentă (de exemplu, un copil de 3 ani care încă nu reuşeşte să compună fraze scurte), părinţii trebuie să consulte medicul pediatru. Uneori este vorba de deficit auditiv, care se manifestă cu întârziere (datorită unor infecţii, traume, terapii), sau unor probleme psihologice şi relaţionale, mai mult sau mai puţin neurologice; alteori, este vorba doar de mici capricii ale naturii.

MIROSUL ŞI GUSTUL

Nou-născutul şi sugarul sunt în măsură să simtă mirosurile şi gusturile?

Ipotetic vorbind, mirosul şi gustul sunt deja prezente la naştere, dar cu caracteristici diferite de cele ale adultului. În sensul că nu sunt adaptate pentru apărarea vieţii, ci pentru căutarea şi simbioza cu mama. De exemplu, se pare că nou-născuţilor indieni le place gustul de curry, condiment cu care mama s-a hrănit în timpul întregii sarcini: de fapt, tuturor copiilor le place mirosul mamei lor, chiar şi atunci când acesta nu este agreabil. Deci, aceste funcţii senzoriale, considerate în mod eronat ca fiind rudimentare, sunt menite, în realitate, să asigure supravieţuirea copilului. Nou-născutul şi sugarul acceptă alimente ale căror arome ni se par nouă ca fiind mai puţin plăcute, în schimb pot refuza mâncăruri noi, considerate de către adulţi ca fiind foarte apetisante. Din această cauză, copiii au un comportament foarte rutinat şi deseori refuză noile experienţe care le sunt oferite în domeniul alimentar. Probabil că obişnuinţa le conferă un sentiment de siguranţă. În jurul vârstei de un an, sau cu puţin mai târziu, în funcţie de sensibilitatea gustativă, copilul cunoaşte o evoluţie mai rapidă: copiii încep să devină „gurmanzi", apreciază mâncărurile mai savuroase, sunt atraşi de noutăţile prezente la masa părinţilor, deseori refuză mâncarea pregătită special pentru ei, perfectă din punct de vedere dietetic, dar puţin cam insipidă. Maturizarea gustului şi a mirosului nu se prodce întotdeauna în jurul vârstei de un an. Uneori, aceasta întârzie: iată de ce unii copii preferă să mănânce în continuare vechile feluri şi refuză, chiar şi după vârsta de un an, gusturile şi mirosurile noi şi diferite.

SIMŢUL TACTIL

Această funcţie senzorială, în mod cert prezentă la nou-născut, are o importanţă cu totul deosebită pentru el, tocmai datorită faptului că micuţului îi place să se simtă atins, mângâiat de către mamă, iar această legătură tactilă este fundamentală deoarece se poate stabili o bună relaţie mamă-copil. Atingerea este, pentru copil, şi un important instrument de cunoaştere şi explorare a lumii exterioare: atingerea obiectelor, a chipurilor care îi sunt în preajmă, a biberonului şi a sânului mamei, a linguriţei, este un mod important de a învăţa şi, în paralel, un mod de a comunica cu mediul înconjurător, în aşteptarea momentului când va putea face aceste lucruri prin intermediul cuvântului.

Este adevărat că nou-născutul comunică cu mama şi prin atingere?

13. Mersul

Pentru copil, mersul este o cucerire importantă, care îi permite să atingă o autonomie parțială și să înceapă explorarea lumii înconjurătoare. Acesta rezultă din interacțiunea dintre diferite componente. Scheletul, musculatura și articulațiile, coordonate de sistemul nervos, colaborează la desfășurarea acestei activități. Este un fenomen care se manifestă diferit la fiecare copil, în care se îmbină caracteristici personale, legate parțial de constituție, parțial de mediul familial, precum și de caracteristici etnice, adică legate de rasa căreia copilul îi aparține.

Cum se comportă copilul care începe să facă primii pași?

Copilul începe să se ridice în picioare în jurul vârstei de 9-10 luni. Încetul cu încetul, învață să facă câțiva pași, mai întâi sprijinindu-se de mobilă sau ținut de mână de către mamă. Apoi începe să facă pași singur, pe distanțe foarte mici, care, treptat, devin din ce în ce mai lungi. În această perioadă și pe tot parcursul celui de-al doilea an de viață, mersul continuă să fie nesigur și seamănă puțin cu „mersul raței": copilul merge pe vârfuri, cu abdomenul împins înainte și cu fundulețul înapoi, accentuând curbura naturală a coloanei vertebrale în zona lombară a acesteia, pentru a-și menține echilibrul. La început merge cu picioarele depărtate, pentru a mări suprafața de sprijin; pare că mai degrabă țopăie decât merge, cade frecvent, dar știe cum să cadă. Nu se lovește, fapt pentru care nu se lasă descurajat și reia imediat tentativele de explorare. Nesiguranța de care copilul dă dovadă când merge este ceva normal, datorită unei slăbiciuni articulare tipice vârstei și datorită faptului că mersul este un proces care se învață treptat și necesită timp.

De ce unii copii întârzie să meargă?

Unul dintre motive poate fi pur și simplu lipsa de siguranță. Pentru a-i da siguranță, este de ajuns să i se ofere un sprijin minim, degetul unuia dintre părinți, fusta mamei, pantalonul tatălui. Mamele prea temătoare, cu atitudini hiperprotectoare și anxioase, pot duce la întârzierea mersului copilului. Copilul dolofan și greu tinde să se confrunte cu unele dificultăți în plus și va fi ceva mai lent în dobândirea capacității de a merge. Ușoarele întârzieri nu trebuie să constituie o sursă de griji. De multe ori, copilul care întârzie să meargă are un părinte care a mers mai târziu când era bebeluș. Dacă întârzierea depășește un an și jumătate, adresați-vă medicului.

Displazia şi forma cea mai gravă, *luxaţia congenitală a şoldului* la nou-născut constituie cea mai frecventă malformaţie a oaselor şi articulaţiilor. Se întâlnesc mai ales la sexul feminin: raportul este de 2 băieţi la 5 fetiţe şi se manifestă mai mult la şoldul stâng decât la cel drept. Este o anomalie care se transmite ereditar, dar nu obligatoriu prin ereditate directă, în sensul că părinţii afectaţi de luxaţie congenitală nu vor avea, obligatoriu, copii afectaţi de această malformaţie. Riscul (formele uşoare sunt mult mai frevente decât cele grave) este de circa 12% în cazul fetelor şi 4% în cazul băieţilor. Această malformaţie are o distribuţie regională destul de precisă.

Ce se înţelege prin displazia şi luxaţia congenitală a şoldului?

Consecinţa acestor defecte este legată de marea importanţă a articulaţiei afectate, alcătuită din femurul articulat cu bazinul, articulaţie fundamentală pentru poziţia dreaptă şi pentru mers. Anomaliile acestor articulaţii se reflectă, obligatoriu, asupra acestor două funcţii. În prezent, luxaţia (adică forma cea mai gravă) a devenit mult mai puţin frecventă, în timp ce formele uşoare de displazie sunt tot mai prezente şi sunt cele care la vârsta adultă, în general după 45 de ani (mai frecvent la femei) duc la forme dureroase de artroză care, la rândul lor, necesită obligatoriu folosirea protezei pentru coapsă.

Care sunt efectele acestor anomalii?

Examenul fundamental este ecografia, care este indicată întotdeauna în maternităţi şi trebuie efectuată între 2 şi 3 luni. În prezent, în rândul medicilor este reconsiderată oportunitatea efectuării ecografiei la toţi copiii, sau numai la fetiţe. Probele ce rezultă în cazul tratării cu indiferenţă a displaziei sau a unei luxaţii provoacă o invaliditate atât de gravă (mai ales în timp), încât merită efectuarea unei ecografii.

Ce trebuie făcut pentru prevenirea anomaliilor coapsei?

Se poate face ceva în caz de dubiu?

Da, se pot lua unele măsuri:
• să țineți copilul călare pe șoldul mamei;
• să folosiți scutece voluminoase, care țin picioarele depărtate;
• când îngrijiți copilul, ocupați-vă de fiecare membru inferior în parte;
• evitați să îl faceți să se propteaescă pe picioare sau să îl țineți în picioare;
• când puneți copilul în poziția șezând, folosiți scăunele sau scaune care îi permit să își țină picioarele depărtate;
• nu folosiți premergătorul;
• nu folosiți scutece strâmte pentru membrele inferioare (dar acest lucru nu se mai practică de mulți ani).

Ce trebuie făcut în caz de displazie sau luxație?

Trebuie să mergeți imediat la ortoped, care, în funcție de gravitatea problemei, va recurge la tehnicile cele mai oportune, de la montarea unor proteze până la intervenție chirurgicală.

Care sunt cele mai importante anomalii ale piciorului nou-născutului și sugarului?

Acestea sunt *piciorul răsucit congenital* și *piciorul răsucit talus valgus*. Prima reprezintă o problemă medicală complexă care, uneori, necesită chiar și intervenție chirurgicală. Cea de-a doua este aproape întotdeauna un fenomen parafiziologic, pentru care intervenția medicului pediatru nu trebuie decât să calmeze neliniștea părinților și să îi convingă să lase copilului timp să crească.

Ce anume este piciorul răsucit congenital?

Este o anomalie destul de frecventă, care îi afectează mai ales pe nou-născuții de sex masculin. Unele statistici relevă o incidență medie de 0,1%, adică un caz la 1 000 de nou-născuți. Este vorba de o malformație congenitală, deseori prezentă la mai mulți membri ai aceleași familii. Se transmite printr-un mecanism ereditar foarte complex, fapt pentru care numai consultarea unui medic genetician poate furniza o previziune procentuală cu privire la riscul de a avea un copil afectat de această malformație, atunci când într-o familie există deja un astfel de caz. Totuși, din fericire, gravitatea acestei anomalii nu este atât de relevantă pentru a justifica temeri deosebite din partea părinților. Piciorul afectat de această malformație apare ca fiind deviat și aproape răsucit, ca și cum s-ar fi răsucit în jurul propriei axe. În cazul care apare cel mai frecvent, numit *picior varus equin*, piciorul este deviat spre interior. Iar în cazul celei mai rare anomalii, numită *picior talus valgus*, piciorul este răsucit spre exterior și îndoit spre gambă.

Ce anume să facem în cazul unui picior răsucit congenital?

În cazurile mai accentuate, este necesar să consultați imediat un medic ortoped care, în cazul în care va considera oportun, va aplica mici „ghipsuri" pentru corectarea treptată a malformației. După câteva luni, după îndepărtarea ghipsului, mama va urma un curs de gimnastică adecvată pentru a completa corectarea. Numai în cazuri grave, cu adevărat foarte rare, este necesară intervenția chirurgicală.

Ce anume se înțelege prin „falsul picior răsucit"?

Definiția este improprie, dar ușor de înțeles, și mai ales importantă din punct de vedere al intervenției terapeutice. Unii copii se nasc cu un picior sau cu ambele numai aparent răsucite. Par a fi picioare răsucite, dar de fapt nu sunt. Diferența constă în faptul că piciorul răsucit este ușor de readus în poziția naturală doar cu ajutorul mâinii: de fapt, nu este vorba de deformații osoase, iar poziția este cauzată numai de o anume poziție viciată a copilului în timpul gravidității. Sunt suficiente scurte masaje zilnice, conform indicațiilor date mamei de către medicul pediatru sau chiar de către medicul ortoped, și în scurt timp totul va reveni la normal.

Ce anume se înțelege prin picior plat?

În jurul vârstei de un an, copilul are piciorul scurt și durduliu, fără bolta caracteristică tălpii (arc longitudinal medial), care poate simula un platfus. Pe măsură ce copilul învață să meargă, se formează și această boltă, care se completează abia în jurul vârstei de 3 ani. De aceea, până la această vârstă, nu trebuie să vă neliniștiți, cu atât mai mult să dați un diagnostic de platfus. De fapt, acest „platfus" aparent este parafiziologic și este cauzat, pe lângă pernița de grăsime a tălpii, și de o slăbiciune naturală a mușchilor și a tendoanelor copilului. La copiii care cântăresc foarte mult, impresia de platfus este și mai accentuată.

Cum trebuie să fie primul pantofior?

Pantoful nu trebuie să fie înalt, adică să lăsați gleznele libere și să nu împiedicați mișcarea tălpii în raport cu piciorul (adică îndoirea gleznei); trebuie să aibă talpa lată, comodă, flexibilă, niciodată rigidă, vârful rotunjit și să nu aibă așa-zisele întărituri, care nu fac nimic altceva decât să strângă țesuturile delicate ale piciorului și să împiedice dezvoltarea corectă a musculaturii. Vârful degetului mare de la picior trebuie să ajungă la circa un centimetru de vârful pantofului. Nu îl obligați pe copilul dumneavoastră să meargă cu încălțăminte înaltă și grea.

Este corect să îi lăsăm pe copii să meargă desculți?

Da, mersul desculț este fundamental pentru prevenirea anomaliilor piciorului (și când spunem desculț, înțelegem și fără ciorapi!), deoarece reprezintă o utilă gimnastică a tălpii. În schimb, este inutil să meargă fără încălțăminte, dar cu ciorapi (chiar dacă sunt antiderapanți), deoarece în acest caz piciorul nu merge, ci alunecă, și deci nu realizează o mișcare corectă. Din păcate, multe mame se tem că podeaua rece ar putea cauza îmbolnăvirea copilului. Nu este adevărat: în prezent, este mereu cald în casă și, dacă micuțul este obișnuit de mic să meargă desculț, nu va avea nicio problemă! Aceste mame „sperioase" trebuie să aleagă între o răceală ipotetică și eventualitatea de a avea un copil cu platfus. Alegerea le aparține!

Procesul de maturizare și formare a piciorului trebuie să se desfășoare treptat, avându-se grijă să nu se intervină în procesul de dezvoltare naturală prin intervenții din afară. De fapt, așa-zisul „pantofior preventiv" nu este de folos!

Pot fi prevenite eventualele malformații ale piciorului?

14. Vaccinurile

Vaccinurile reprezintă cea mai importantă formă de prevenire medicală. Scopul unui vaccin este de a provoca în organismul uman (în cazul nostru, în cel al copilului) o reacţie (producerea anticorpilor) împotriva unor boli infecţioase, prin inocularea agenţilor ce cauzează aceste boli şi anume virusuri, bacterii şi substanţe toxice (toxine) produse de aceştia. Evident, aceşti agenţi vinovaţi, pentru a nu provoca boala, trebuie să fie inofensivi şi atenuaţi, astfel încât să piardă proprietăţile infecţioase şi să nu cauzeze boala, dar să fie în continuare în măsură să provoace reacţia de apărare a organismului. Rolul vaccinurilor este acela de a determina în organismul copilului o „mică boală" care să nu creeze nicio tulburare, dar care să stimuleze în organism producerea anticorpilor, care vor fi în măsură să îl apere în cazul în care acesta vine în contact cu agenţii răspunzători de acea boală. Există vaccinuri obligatorii prin lege şi vaccinuri facultative. Vaccinurile constituie o etapă fundamentală în istoria medicinii şi, deci, a sănătăţii în general. Dacă, în prezent, multe boli teribile, ca de pildă variola, poliomelita, difteria au dispărut practic în ţările unde se practică vaccinarea în masă, meritul este chiar al vaccinurilor.

Vaccinarea copilului este o obligaţie?

Da, este o obligaţie pe care părinţii o au faţă de propriul copil şi faţă de comunitate, chiar dacă azi practicarea vaccinării reprezintă motiv de dubiu şi perplexitate. Lucru cel mai grav este acela că, şi în prezent, unii medici şi o întreagă pleiadă de „presupuşi" experţi în sănătate sfătuiesc ca micuţii să nu fie vaccinaţi.

De ce să vaccinăm copiii împotriva unor boli care într-o vreme erau comune?

Această îndoială este un fapt periculos, care denotă superficialitate, inconştienţă şi chiar ignoranţă. Cine are o astfel de atitudine ignoră faptul că până şi bolile infecţioase cele mai banale (ca de pildă pojarul), chiar şi într-un procent scăzut de cazuri, pot provoca complicaţii extrem de grave care, uneori, pot cauza chiar şi moartea copiilor. Complicaţiile sunt foarte rare, dar există! A nu vaccina proprii copii constituie, mai presus de orice, o alegere incorectă nu numai faţă de ei, ci şi faţă de societate! De fapt, copilul care nu a fost vaccinat nu riscă practic nimic, deoarece va fi protejat de ceilalţi copii, care, fiind vaccinaţi, vor bloca răspândirea bolilor, împiedicându-l şi pe el să le contracteze. Copilul vaccinat se protejează pe sine, dar şi restul societăţii, deoarece se transformă într-o barieră împotriva circulaţei microbilor. Dar dacă toţi ar începe să nu facă vaccinurile, realitatea s-ar schimba şi ne-am întoarce în timp.

Care sunt contraindicaţiile cu privire la vaccinurile pentru copii?

Practic, niciuna. Există doar contraindicaţii temporale: boli acute febrile, cu febră ce durează 3 sau 4 zile (aşteptaţi o săptămână), diaree gravă, care durează 3 sau 4 zile (aşteptaţi 10 zile), tratamente cu cortizon cu o durată maximă de 8-10 zile (aşteptaţi 3 săptămâni). Deci, copiii nu trebuie să aştepte luni de zile pentru a face vaccinurile, invocându-se cele mai banale scuze: răceli, tuse, scurte episoade de febră, obișnuite în perioada de iarnă, mai ales la copiii care frecventează creșele și grădinițele.

Și copiii născuți prematur, sau sub greutate, pot, ba chiar trebuie să fie vaccinați. În aceste cazuri, însă, este oportun să consultați un medic pediatru, pentru a evalua dacă este cazul să întârziați vaccinarea cu câteva luni (maximum 2 sau 3).

Copiii născuți prematur pot fi vaccinați?

În general, nu. Nu trebuie considerate contraindicații avertismentele cu privire la condiții verificate înainte de vaccinare: reacții locale precum umflăturile și înroșirile în zona inoculării, ușoarele creșteri ale temperaturii.

Există contraindicații cu privire la efecte?

Nu, nu este o problemă gravă dacă întârziați câteva săptămâni (uneori este posibil chiar și câteva luni) începerea vaccinărilor, atâta timp cât se fac! Totuși, pentru a respecta cerințele organizatorice ale organelor care se ocupă de această acțiune, precum și din motive etice, este mai bine să respectați datele propuse.

Trebuie respectate datele de începere a vaccinărilor?

Intervalul de timp dintre un vaccin și un altul nu este unul standard. Cu alte cuvinte, se indică o dată pentru că ar fi mai bine să nu faceți rapelul înainte de o perioadă de timp, dar, chiar dacă se lasă să treacă și câteva luni de la data indicată, rapelul își menține oricum valabilitatea.

Trebuie să respectăm intervalele de timp ale rapelurilor?

În prezent se poduc vaccinuri polivalente, care conțin mai multe vaccinuri (obligatorii și facultative). Acestea răspund la două criterii: sunt comode,

Ce anume este vaccinul „hexavalent"?

deoarece permit să se facă o singură injecție, și elimină problema alegerii vaccinurilor care nu sunt obligatorii. Vaccinul „hexavalent" conține cele mai „răspândite" șase vaccinuri și este cel folosit, de obicei, în centrele pentru vaccinare.

Producerea continuă de noi vaccinuri le dezorientează deseori pe mame; cum trebuie să se comporte ele în acest caz?

Vaccinurile reprezintă o materie de studiu și cercetare în continuă evoluție. Din această cauză, ceea ce vi se sugerează în acest moment va rămâne, în general, valabil pentru o perioadă de timp, dar este foarte probabil ca noile descoperiri ale științei medicale și ale biotehnologiei să ducă, de-a lungul anilor, la producerea unor noi vaccinuri, iar o continuă perfecționare a tehnicilor de preparare și o tot mai bogată experiență să extindă folosirea vaccinurilor actuale. Cu alte cuvinte, indicațiile prezentate aici au o valabilitate generală, dar, pentru a alege vaccinurile pe care să le faceți copilului dumneavoastră, adresați-vă pediatrului, care, în mod sigur, va ști să vă dea indicațiile cele mai actuale.

Care sunt „noile vaccinuri"?

În prezent, următoarele (dar în mod sigur vor apărea și altele): vaccinul *pneumococic conjugat heptavalent*; vaccinul *meningiococic C conjugat*; vaccinul împotriva *varicelei*.

Ce anume sunt „noile vaccinuri"?

Sunt vaccinuri care extind prevenirea cu privire la unele boli infecțioase la copii. Pentru ca informația să fie corectă, este necesar să vă spun că, în zilele noastre, aceste boli nu sunt atât de răspândite și frecvente, iar dacă sunt diagnosticate la timp, pot fi tratate bine și se vindecă perfect.

Sunt inofensive, dar protejează 100% împotriva bolilor: procentele medii cu privire la eficiența lor sunt bune, variază de la 70% la 97%, dar pentru unele boli, precum otita și pneumonia, procentele scad cu mult.

Care sunt caracteristicile acestor vaccinuri?

În medicină nu există certitudine absolută în niciun sector. Meningita este cauzată de trei bacterii: *meningiococul, Haemophilus influenzae* și *pneumococul* (la copiii mai mici). Din această cauză, dacă doriți o mai mare protecție, trebuie să vaccinați copiii împotriva tuturor acestor bacterii (vaccin antimeningiococic, vaccin antipneumococic, vaccin anti-Haemophilus influenzae).

Ce vaccinuri trebuie făcute pentru a-i proteja, în mod sigur, pe copii împotriva meningitei?

Cred, în mod absolut, că alegerea trebuie făcută de către părinți, în mod conștient și de acord cu medicul pediatru, căruia îi revine sarcina de a fi explicit în furnizarea de explicații convingătoare și obiective.

Ce este corect: să facem sau nu „noile vaccinuri"?

15. Primele inconveniente

În primul an de viață, copiii se îmbolnăvesc foarte rar. Totuși, se poate întâmpla să întâmpine unele probleme, pe care trebuie să învățați să le recunoașteți și să le faceți față. În continuare, mă voi ocupa de indispozițiile cele mai comune, dându-vă indicații utile și pentru copiii care au vârsta peste un an. Cele mai obișnuite sunt: febra, voma, diareea, constipația, crusta lactee, lipsa de apetit, tulburări ale somnului și tusea. În fine, părinții trebuie să învețe să respecte anumite reguli de bază cu privire la administrarea medicamentelor.

FEBRA

Ce este febra?

Prin febră se înțelege o creștere a temperaturii corporale peste valorile normale. În condiții de sănătate, temperatura corpului uman este destul de constantă, cuprinsă între valori limită, dincolo de care se poate vorbi despre febră. Febra este o reacție naturală și pozitivă, de autoprotecție, pe care organismul o lansează în momentul în care este atacat de viruși sau de bacterii. Prin creșterea temperaturii, organismul își accelerează metabolismul și mobilizează rapid propriile mecanisme de apărare.

Care este diferența între temperatura internă și cea externă?

Temperatura externă, sau temperatura pielii, se poate măsura cu ajutorul termometrului tradițional pus la subsuoară sau în zona inghinală, sau cu alte tipuri de termometre moderne pentru piele. Temperatura internă este numită astfel în mod impropriu; dacă termometrul se pune în gură, este vorba de temperatură orală, dacă se pune în rect, vorbim de temperatură rectală.

Este de preferat ca, la sugari, să măsurăm temperatura internă sau cea externă?

Temperatura externă. Temperatura orală și cea rectală, definite, în mod impropriu, ca fiind interne, nu sunt semnificative, deoarece pot prezenta variații legate de situația locală. De exemplu, în cazul prezenței dificultății respiratorii nazale, datorită răcelii, sau în cazul inflamării gurii sau a gâtului, sau în cazul iritației anale, datorită diareei sau constipării, temperatura orală sau cea rectală vor atinge, cu siguranță, valori superioare temperaturii corporale.

Se adaugă jumătate de grad la temperatura externă?

Nu; aceasta este o greşeală foarte răspândită, datorită căreia riscaţi să consideraţi că micuţul este în stare „febrilă" atunci când de fapt nu este! Cu toate consecinţele ce decurg din acest caz: preocuparea mamei, limitarea activităţilor, tratamente. Se măsoară temperatura externă şi vă bazaţi pe aceea, nimic altceva.

Care sunt valorile normale ale temperaturii corpului copilului?

În mod convenţional, valoarea maximă a temperaturii externe este de 37,1 °C, iar cea maximă a temperaturii interne este de 37,6 °C. Totuşi, în ceea ce priveşte aşa-zisa temperatură „internă", valorile superioare, chiar şi cu jumătate de grad, trebuie considerate ca fiind în normal, şi reprezintă doar nivelele extreme ale unei variabilităţi individuale care se situează, încă, în limite.

Când trebuie măsurată febra la un sugar?

Consider că febra trebuie măsurată numai atunci când se bănuieşte că micuţul are o febră cuprinsă între 38,5 şi 39 °C. Cu alte cuvinte, atunci când simţiţi că este cu adevărat fierbinte! Deoarece sugarii, şi copiii în general, când au febră serioasă, sunt cu adevărat fierbinţi! Măsurarea febrei unui copil, când acesta nu este foarte cald (37 - 37,3 °C), nu face decât să creeze o nelinişte nejustificată.

Ce anume trebuie să facem în caz de febră?

Înainte de toate, febra nu trebuie privită ca fiind un fenomen negativ, ci ca o reacţie care creşte puterea de apărare a organismului. În al doilea rând, în condiţii bune, copilul are o mare toleranţă faţă de febră. Temperaturi care, în general, îl doboară pe un adult, sunt suportate foarte bine de către copii.

Este adevărat că febra ridicată poate duce la convulsii?

Este adevărat, dar acest fenomen apare foarte rar în primul an de viață. De fapt, se poate manifesta la circa 3% dintre copiii cu vârsta cuprinsă între 6 luni și 6 ani, cu o frecvență mai ridicată în jurul vârstei de 2 ani.

La ce temperatură trebuie să ne facem griji?

Nu se poate spune cu certitudine, depinde mai degrabă de predispoziția de a suferi de convulsii, decât de originea temperaturii. Trebuie să fiți atente în cazul copiilor predispuși la temperaturi externe superioare celei de 38-38,5 °C, mai ales în faza de creștere a temperaturii.

Convulsiile febrile sunt periculoase?

Nu, dar, în mod cert, îi sperie mult pe părinți care, în plus, luați prin surprindere, își pierd capul și, deseori, intervin în mod greșit (le fac copiilor baie, îi scot, îi pun în mașină și fug la Urgențe). Dacă se întâmplă, nu vă pierdeți capul. Lăsați copilul în pătuț, păstrați-vă calmul, diminuați intensitatea luminii ambientului și, în decurs de câteva minute, convulsiile vor trece.

Febra ridicată cauzează accese de creștere a temperaturii?

În primul an de viață se întâmplă extrem de rar, cu condiția de nu comite grava eroare de a înveli prea mult copilul care are febră ridicată.

Ce medicamente să folosim în cazul febrei?

Medicamentele contra febrei sunt denumite antifebrile sau antipiretice. În continuare, vă fac o scurtă prezentare a acestora. *Paracetamolul*: este medicamentul antifebril cel mai des folosit și este tolerat de către copiii de toate vârstele. Pentru sugari este bine ca doza administrată să fie adecvată greutății, mai ales în cazul tratamentelor ce durează mai multe zile. Trebuie administrat în doze diferite. Primul an: doză orală 10-15 mg per kilogram de greutate corporală, la fiecare 4-6 ore (numai pe baza rețetei medicale); doză rectală 20 mg per kilogram greutate la fiecare 4-6 ore (numai pe baza rețetei medicale). De la vârsta de doi ani: supozitor de 250 mg la fiecare 4-6 ore. Peste șase ani: supozitor de 500 mg la fiecare 4-6 ore. *Ibuprofen*: este o alternativă a paracetamolului, deci este al doilea ca opțiune. Acest medicament poate fi administrat și ca adaos la paracetamol. Cele două medicamente nu inter-acționează între ele. Doză pentru toate vârstele: 5 mg per kilogram greutate, de 3-4 ori pe zi.

Când să folosim medicamentele antipiretice?

Sfatul este acela de a consulta întotdeauna medicul pediatru, care va evalua fiecare caz în parte. În general, vă sugerez ca, în primul an, să administrați an-tipireticul în cazul unei temperaturi externe ce depășește 38°C.

Antipireticele vindecă bolile care provoacă febra?

Nu. Aceste medicamente pot doar să reducă tempo-rar valoarea și durata febrei, dar nu influențează deloc boala în curs. Fapt pentru care nu trebuie să renunțați la a mai stabili cauza febrei.

Este necesar să administrăm antibiotice în caz de febră?

Prescrierea de antibiotice trebuie să fie făcută întot-deauna de către medicul pediatru. Dacă nu aveți posibilitatea de a consulta un medic, o bună regulă ar putea fi următoarea: în cazul febrei așa-zise simpto-matice (adică cea care nu este însoțită de alte simp-tome importante, ca de pildă tuse, diaree abundentă, vomitat repetat), sfatul este de administra antibi-oticul în cazul în care febra continuă să fie ridicată chiar și la 60 ore de la apariția ei.

Există și alte remedii împotriva febrei?

Da, se poate recurge la proceduri de răcire, care sunt greu de pus în practică la sugar. Poate fi de folos să îi puneți o pungă cu gheață pe cap, să îl frecați cu apă rece și, mai ales, să reduceți numărul păturilor sau al hainelor. Deseori, copii refuză punga cu gheață pe cap. Dacă o refuză, înseamnă că nu simt nevoia.

Care sunt greșelile cele mai comune ce se pot comite în cazul febrei?

Erorile comise cel mai frecvent de către părinți, atunci când este vorba de febră, sunt acelea de a înveli prea mult copiii, sau chiar de a abuza de medicamente antifebrile; chiar dacă sunt bine tolerate, medicamentele antifebrile comune, sunt, totuși, medicamente. Din păcate, uneori sunt folosite chiar și în absența febrei. Ușurința cu care pot fi procurate duce la abuz în folosirea lor. Folosirea masivă a medicamentelor antifebrile este permisă numai la convulsii.

De ce la sugari febra crește brusc?

La sugari, aproape întotdeauna, febra apare pe neașteptate și aproape niciodată cu simptome definite. Acest lucru se petrece deoarece micuții se simt întotdeauna bine și, deci, toate bolile banale (sugarii, exceptând cazurile foarte rare, suferă numai de boli care nu sunt grave) se manifestă în momente când copilul are o stare foarte bună și sunt cauzate de viruși aduși în casă de către părinți sau luați de la alți copii.

De ce, uneori, chiar dacă se folosesc medicamente antipiretice, febra nu dispare?

Efectul medicamentului antipiretic durează 2-3 ore. Medicamentul acționează ducând la scăderea temporară a febrei, dar fără a o face să dispară. Cât timp cauza stării febrile (adică boala) persistă, temperatura crește din nou. Deci, nu trebuie să vă mirați dacă medicamentul „aparent" nu funcționează. Uneori, temperatura nu scade nici măcar cu câteva zecimi; fără medicament, febra ar fi crescut ulterior.

Este necesar să consultați urgent medicul atunci când sugarul:
• are temperatura externă mai mare de 40°C,
• în caz de febră mai mare de 39°C, nu prezintă nici măcar o coborâre minimă a temperaturii (nici măcar de câteva zecimi), după administrarea de antipiretice timp de mai mult de 24 de ore;
• prezintă amorțeală, somnolență excesivă, alternează momente de mare agitație și iritare cu momente de prostrație, are chipul foarte palid (dacă, în schimb febra este mare și culoarea chipului este roșie, nu există, în general, motive deosebite să vă faceți griji);
• plânge continuu, dar nu cu putere (sugarul care plânge cu putere nu are, în general, nimic grav).
Desigur, aceste indicații impun un control medical într-un timp foarte scurt: dacă nu există manifestările menționate mai sus, se poate aștepta măcar 24 ore.

Când să ne îngrijorăm și, deci, să chemăm medicul în caz de febră?

VOMITATUL

În cazul sugarului, este important ca părinții să știe să facă diferența între vomitat și regurgitare.

Prin vomitat se înțelege emiterea violentă, prin forțare, a conținutului stomacului (mâncare), care este proiectat la distanță. La sugari se manifestă rareori. Se distinge un *vomitat intermitent* și un *vomitat persistent*. Începând din primul an de viață și pe măsură ce copilul crește, acest fenomen se manifestă mai frecvent. Regurgitarea este eliminarea fără efort a unei mici cantități de lapte care, în general, se scurge din gura sugarului și se oprește pe bărbiță. Regurgitarea este un fenomen care se întâlnește aproape exclusiv la sugar.

Ce se înțelege prin vomitat?

Ce anume se înțelege prin vomitat persistent?

Se vorbește despre vomitat persistent atunci când nou-născutul elimină hrana cu violență la fiecare masă, în ciuda tuturor tentativelor terapeutice puse în practică pentru a-l face să nu vomite. Este vorba de o situație foarte gravă. Trebuie să vă adresați imediat medicului pediatru: când are loc un astfel de fenomen este necesară, aproape întotdeauna, intervenția unui medic.

Ce anume se înțelege prin vomitat ocazional?

Se definește ca fiind un vomitat ocazional vomitatul care se manifestă din când în când. Este un fenomen rar la sugar, mai ales în primele 6 luni de viață. Cauzele sunt, aproape întotdeauna, o banală indigestie, o gastroenterită acută, o boală infecțioasă. Până în 6 luni, deseori este necesară doar schimbarea laptelui. Uneori, vomitatul este însoțit de diaree sau de constipație.

Ce să facem când sugarul vomită?

Indiferent care este cauza, în prezența vomitatului există comportamente obișnuite, care trebuie reținute. Indiferent de vârsta copilului, trebuie să suspendați temporar alimentația. Dacă micuțul consumă numai lapte, atunci se suspendă laptele (dar nu laptele matern); dacă el consumă și mâncăruri solide, atunci se suspendă orice tip de aliment. De obicei, chiar copilul este cel care refuză să mănânce, în timp ce, deseori, îi este foarte sete. În cazul sugarului, masa cu lapte suspendată este înlocuită cu o cantitate egală, la alegere, de apă, apă îndulcită, apă de orez, ceai slab, supă de legume sau de morcov. Aceste lichide pot fi date și în cantități mari, dacă, evident, copilul vrea. Este o bună regulă aceea de a da apă copilului care a vomitat (*vezi* întrebările următoare).

Trebuie suspendat și laptele matern?

Nu, veți vedea că micuțul dumneavoastră este cel care va mânca mai puțin în timpul câtorva mese, sau chiar o zi sau două. Apoi, totul va reveni la normal. Dacă vomitatul persistă (dar în cazul alăptării cu lapte matern, acest lucru se întâmplă rareori), atunci suspendarea unei mese sau două poate rezolva problema. Medicul pediatru va fi cel care va decide.

Ce anume trebuie făcut după suspendarea alimentației?

Din clipa în care ați pus în practică cele două intervenții sugerate, comportamentul ulterior este condiționat de evoluția vomitatului. În majoritatea cazurilor, suspendarea alimentației și înlocuirea acesteia cu lichide fără calorii, timp de 2-3 mese (maximum 24 de ore), rezolvă situația, în sensul că vomitatul dispare. La sugari, se începe cu doze de lapte obișnuit mai diluat (aceeași cantitate de apă la mai puține măsuri de lapte), și, în circa 24 sau 48 de ore, totul revine la normal. În privința orelor de reluare a alimentației, bazați-vă pe revenirea apetitului copilului: dacă îi este foame, înseamnă că problema care a cauzat vomitatul s-a rezolvat.

Laptele artificial îl poate face să vomite pe sugarul alăptat la sân?

Rareori, dar se poate întâmpla. Se poate întâmpla ca, înainte de administrarea mesei cu lapte artificial, copilul să vomite noul lapte, iar când revine la laptele matern este posibil să îl vomite și pe acesta. În acest caz, nu sunt necesare intervențiile cu privire la dietă; trebuie să continuați să îl mai alăptați puțin la sân și apoi să încercați, din nou, să introduceți laptele artificial.

Când să ne facem griji dacă un sugar vomită?

Contactați urgent un medic sau mergeți la spital când:
• vomitatul durează mai mult de 24 de ore;
• este vorba de un sugar care vomită repetat (risc de deshidratare rapidă);

• este prezentă şi diareea (şi deci vomitatul împiedică recuperarea pierderilor de lichide pe care aceasta le provoacă);

• există semne evidente de deshidratare (pierdere în greutate, buzele şi limba uscate, plâns fără lacrimi, respiraţie frecventă şi grea, cearcăne adânci, paloare foarte intensă);

• are o stare de prostraţie cu toropeală, somnolenţă etc.;

• are febră ridicată;

• are dureri abdominale, la ceva timp după episoadele de vomitat;

• voma conţine sânge (de culoarea cafelei sau chiar roşu aprins).

Ce erori se pot comite în caz de vomitat?

Greşeala cea mai gravă este aceea de a nu suspenda alimentaţia şi de a-l obliga pe copil, prin toate mijloacele, să mănânce. Această eroare este comisă de către acei părinţi (şi deseori de către bunici sau de către cine se ocupă de îngrijirea copilului) care se tem că micuţul ar putea „muri de foame" atunci când le suspendă chiar şi numai o masă: aceşti părinţi ar face bine să înţeleagă că vomitatul este actul prin care organismul micuţului refuză mâncarea. Deci, este greşit să insistaţi şi să constrângeţi organismul să accepte ceva ce este refuzat deocamdată. *O altă eroare este aceea de a nu da copilului să bea,* şi aceasta chiar că este o greşeală şi mai gravă. De fapt, adevăratul pericol în cazul vomitatului, mai ales dacă este însoţit de diaree, este deshidratarea, deoarece aceasta poate duce la intoxicaţie (*toxicoză*) şi, în cazurile cele mai grave, chiar la moarte. Deci, este absolut indispensabil să încercaţi să hidrataţi copilul atunci când acesta vomită.

De ce trebuie să suspendăm alimentația?

În realitate, alimentația nu este suspendată complet, deoarece copilului i se furnizează necesarul de lichide (lucrul cel mai important în cazul vomitatului). În schimb, este importantă suspendarea mâncărurilor solide deoarece duc la o dezintoxicare sigură a organismului. Atunci când vomită, adulții suspendă imediat alimentația. Aceeași regulă trebuie aplicată și la copii.

Atunci, de ce, uneori, mamele nu dau lichide copiilor?

Acest lucru se întâmplă deoarece interpretează greșit un comportament particular al copilului care vomită. Uneori, copilul care vomită are o asemenea nevoie de lichide, încât bea cantități mari și cu aviditate. Acest fapt poate constitui, de foarte multe ori, un stimul ulterior pentru a vomita. În acest moment, mama se gândește că ar fi de preferat să suspende administrarea lichidelor. Este o gravă eroare!

Cum se administrează lichidele?

Dacă lichidele ingerate cu aviditate și în cantități mari stimulează vomitatul, atunci acestea trebuie să fie administrate în mod fracționat. De exemplu, cu ajutorul linguriței puteți da copilului cantități mici; o linguriță după alta. Aproape întotdeauna, copilul încetează să vomite și se rehidratează. În cazurile în care vomitatul persistă, în ciuda administrării fracționate, trebuie să continuați în acest fel în așteptarea consultației medicului.

Care sunt simptomele deshidratării grave?

Simptomele deshidratării grave (toxicoză) sunt ochii foarte încercănați și adânciți, paloarea intensă, buzele sau limba uscate, limba alburie și încărcată, respirație rău mirositoare, pielea de pe abdomen se ridică în formă de cute atunci când este strânsă între două degete, respirația accelerată, somnolența, reacția slabă.

183

Ce lichide se administrează?

Apă naturală, apă gazoasă, apă îndulcită, ceai slab, ceai de mușețel îndulcit, supă de legume, supă de morcovi. După vârsta de un an se introduc și băuturile îndulcite din fructe, dar niciodată lapte!

Există medicamente specifice pentru vomitatul la sugari?

Nu există medicamente specifice, deoarece vomitatul obișnuit al sugarului are numai cauze alimentare. Doar în cazuri foarte rare este vorba de cauze diferite, dar și atunci vomitatul are caracteristici specifice (pe scurt, nu trece urmând indicațiile sugerate) și este însoțit de alte simptome, care îl determină pe medic să dispună efectuarea unor analize aprofundate.

Cum să ne dăm seama de originea vomitatului la sugar?

Din punct de vedere practic, de exemplu, pentru a informa telefonic medicul, trebuie să vă gândiți la faptul că unei pete cu diametrul de 10 cm îi corespund circa 15 cc de mâncare, unei pete cu diametrul de 20 cm îi corespund 50 cc, unei bavete pline îi corespund 200 cc. O altă indicație utilă, pe care să o furnizați medicului, este cea cu privire la aspectul vomei: alimentar, lichid gălbui, lichid negricios etc.

Care sunt motivele de alertă atunci când sugarul vomită?

• nu vă faceți griji dacă este vorba de un vomitat izolat;
• dacă vomitatul se repetă, suspendați alimentația și administrați lichide;
• dacă, în afară de vomitat, are și febră ridicată, ocupați-vă de ambele manifestări;
• nu uitați că, dacă vomitatul este însoțit de diaree abundentă, se poate ajunge destul de rapid la deshidratare, mai ales dacă se face greșeala de a nu administra lichide.

DIAREEA

Vomitatul şi diareea sunt fenomene strâns legate între ele. Deseori, se manifestă împreună, alteori în acelaşi timp, uneori pe rând. Diareea, împreună cu tulburările căilor respiratorii, reprezintă cauza cea mai frecventă a bolii la copil. Dintre cele trei tipuri de diaree (acută, cronică, recurentă), diareea acută este, aproape întodeauna, cea care se manifestă în primul an de viaţă.

Diareea acută apare, în general, pe neaşteptate. Copilul începe să elimine fecale cu caracteristici diferite de cele pe care le elimină în mod regulat.

Cum se manifestă diareea acută?

Există patru aspecte diferite ale fecalelor care, chiar dacă nu au o semnificaţie deosebită din punct de vedere al gravităţii bolii, sunt, totuşi, un indiciu important. Fecalele pot fi:
• împrăştiate, mai moi decât de obicei, cu aspect neomogen, cu fragmente ce par a fi nedigerate;
• ca şi la punctul precedent, dar cu mucozităţi (catar) sau chiar mucozităţi şi sânge;
• semilichide, în care se observă şi material solid;
• lichide, uneori de culoare închisă, câteodată atât de limpezi, încât pot fi asemănate cu urina.

Cum sunt fecalele în cazul diareei sugarului?

Ca şi în cazul vomitatului, există pericolul deshidratării. De aceea, cei doi parametri ai diareei pe care trebuie să îi aveţi în vedere sunt:
• consistenţa fecalelor; nu uitaţi: cu cât sunt mai lichide, cu atât mai mare este pierderea de apă;
• numărul eliminărilor; cu cât sunt mai frecvente, cu atât mai rapidă este pierderea de apă.

Când trebuie să fie considerate o urgenţă?

Ce să facem în cazul diareei?

Măsurile trebuie îndreptate spre prevenirea deshidratării şi, deci, ca şi în cazul vomitatului, trebuie şi este necesar să suspendaţi orice tip de alimentaţie şi să administraţi copilului multe lichide (să îl faceţi să bea), ţinând cont de faptul că diareea cauzează o deshidratare mai rapidă şi mai gravă decât cea cauzată de vomitat.

Trebuie suspendat laptele matern?

În cazul alăptării la sân, este foarte puţin probabil să apară episoade de diaree. Dacă totuşi apar, nu trebuie să suspendaţi laptele, dar veţi vedea că micuţul va fi cel care va mânca mai puţin la câteva mese, sau chiar timp de una sau două zile. Apoi totul revine la normal. Dacă diareea este cu adevărat abundentă, medicul pediatru va fi cel care va decide cum să se intervină.

Ce lichide se pot administra?

Apă naturală, apă gazoasă, apă de orez (apă fiartă în care se adaugă o cantitate mică de făină de orez), ceai slab sau slab îndulcit, supă de legume sau supă de morcovi cu puţină făină de orez. În niciun caz lapte! Aşa cum v-am sugerat pentru vomitat, şi în cazul diareei este mai bine să administraţi băuturile în mod fracţionat şi nu în doze mari, acestea favorizând apariţia sau persistenţa problemei. Cu privire la episoadele de diaree acută, mama trebuie să se înarmeze cu răbdare, să stea lângă patul copilului şi, cu ajutorul unei linguriţe, să îi dea lichide micuţului bolnav, fără întrerupere.

Ce medicamente se pot administra în caz de diaree?

Nu există medicamente specifice pentru diaree (doar dacă nu cumva este provocată de anumiţi microbi, dar în acest caz trebuie, mai întâi, să se facă o examinare a fecalelor, numită *coprocultură*, şi apoi se alege antibioticul adecvat). Mulți medici pediatri prescriu fermenții lactici. Nu fac rău. Pe piață se găsesc și pliculețe care conțin amestecuri de zahăr și săruri minerale care pot fi adăugate la apa naturală și care sunt deosebit de utile pentru o corectă rehidratare a micuților. Cu toate acestea, gustul lor nu este pe placul copiilor. Le puteți încerca; dacă micuțul le agreează, sunt cu adevărat utile! În casă, se pot prepara unele soluții a căror compoziție se apropie de cea a acestor medicamente, procedând astfel: stoarceți două portocale și o lămâie; sucul rezultat îl diluați cu un litru de apă (chiar și apă minerală gazoasă), adăugați mult zahăr (2-3 linguri) și 3 vârfuri de cuțit de sare. Cum am subliniat de mai multe ori, în caz de diaree este mai bine să administrați lichide des și în doze mici, pentru a nu risca să înrăutățiți situația.

Simptomele unei grave deshidratări (toxicoză) din cauza diareei sunt aceleași ca și cele cauzate de vomitat: ochii foarte încercănați și adânciți, paloare intensă, buzele sau limba uscate, limba alburie și încărcată, respirație rău mirositoare, pielea de pe abdomen se ridică în formă de cute atunci când este strânsă între două degete, respirație accelerată, somnolență, reacție slabă.

Care sunt simptomele cele mai evidente ale deshidratării?

Dacă diareea se rezolvă după numai câteva eliminări, este suficient un consult telefonic; dacă simptomele sunt mai serioase, este obligatoriu să vă adresați personalului sanitar. Chemați imediat medicul sau duceți copilul la spital dacă:
• bebelușul are mai puțin de 4 luni și prezintă multe eliminări lichide care, pe lângă faptul că sunt frecvente, sunt alcătuite din fecale mult diferite de

În cazul în care copilul are diaree, trebuie să mergem la medic?

cele pe care le elimină în mod obișnuit (de exemplu, la copilul alăptat la sân, fecalele sunt abundente și lichide, dar acestea au devenit diferite de cele pe care le are de obicei);

• copilul are mai puțin de un an, elimină fecale lichide și vomită;

• copilul a pierdut în greutate sau dă semne grave de deshidratare (ochi foarte încercănați și adânciți, paloare intensă, buzele sau limba uscate, limbă alburie și încărcată, respirație urât mirositoare, pielea de pe abdomen se ridică în formă de cute atunci când este strânsă între două degete, respirație accelerată, somnolență);

• dacă observați prezența somnolenței sau a iritabilității asociate cu somnolență.

Apariția mucozităților este îngrijorătoare?

Dacă fecalele eliminate cu mucozități sunt normale (ca o pastă, omogene și formate) și, mai ales, la fel cu cele pe care le produce mereu (nu uitați că cele ale copilului alăptat cu lapte matern sunt lichide), acest fenomen nu trebuie să vă preocupe deloc. Dacă fecalele sunt amestecate cu mucozități prost digerate, împrăștiate sau semilichide, vă sfătuiesc să consultați medicul. Totuși, dacă starea copilului (creșterea lui) se dovedește a fi normală, nu este cazul să dramatizați.

Ce să facem dacă, în fecale, sunt prezente mucozități cu sânge?

Dacă fecalele sunt normale, nu aveți un motiv real să vă îngrijorați; consultați totuși medicul. Faceți acest lucru foarte repede dacă fecalele sunt împrăștiate și prost digerate, dacă febra este și ea prezentă și dacă starea copilului nu vi se pare a fi optimă (ar putea fi vorba de *salmonela*). Este necesar să se facă o analiză specifică a fecalelor (coprocultura) în scopul de a identifica eventuala prezență a bacteriilor.

Până când încetează diareea. În realitate, în unele cazuri, soluția nu este chiar atât de simplă, deoarece, uneori, diareea durează câteva zile. În acest caz, medicul va fi cel care vă va da indicațiile. În general, totuși, suspendarea alimentației și intervenția oportună în vederea rehidratării, timp de 24-48 ore, duc la efectul scontat.

Pentru cât timp trebuie suspendată alimentația în cazul apariției diareei?

Dacă bebelușul este alăptat la sân, alăptarea normală se reia după suspendarea uneia sau mai multor mese. Dacă, în schimb, este alăptat artificial: *în primele luni*, când copilul consumă numai lapte, după dieta hidrică se reia administrarea cu laptele folosit înainte, având grijă ca acesta să fie preparat diluat. O bună regulă este aceasta: în primele 24 de ore administrați 1/3 din doza dată înainte și 1/2 în următoarele 24 de ore. De exemplu, dacă micuțul primea 180 ml de apă + 6 măsuri de lapte, în primele 24 de ore va primi 180 ml apă + 2 măsuri de lapte, în următoarele 24 de ore va primi 180 ml de apă și 3 măsuri de lapte, iar în următoarele 24 de ore se revine la dozele normale. Dacă micuțul este deja alimentat cu lapte de vacă, doza pentru primele 24 de ore de reluare a alimentației dinainte va fi de 1/3 lapte și 2/3 apă cu zahăr și făină de orez, în doze administrate în mod normal. În următoarele 2-3 zile, alimentația va fi jumătate lapte și jumătate apă cu zahăr și făină, în doze normale. Alimentația va reveni la normal cu 2/3 lapte și 1/3 apă cu zahăr și făină de orez. *Dacă micuții au peste 5-6 luni.* La această vârstă, copiii au o alimentație mai completă și mai variată. În primă fază, reluarea alimentației începe prin introducerea meselor ce nu conțin lapte, pentru a trece, după câteva zile, și la lapte (la început diluat). Ceea ce v-am sugerat este o schemă de realimentare foarte prudentă, care poate fi accelerată în

Cum începem reluarea alimentației micuțului?

cazul în care copilul dă dovadă de poftă de mâncare și, mai ales, dacă fecalele au revenit la normal, sau dacă, pur și simplu, a apărut constipația.

Câte lichide trebuie să administrăm copilului, în caz de diaree?

În primele 6 luni de viață, trebuie să administrați sugarului care suferă de diaree gravă circa 200 ml de lichide la fiecare kilogram de greutate corporală. De exemplu, în cazul unui copil de 5 kg se administrează 200 ml x 5 = 1 000 ml. Pentru cei cu vârsta cuprinsă între 6 luni și un an, se administrează circa 150-180 ml la fiecare kilogram de greutate.

Ce se înțelege prin diaree cronică?

Diareea cronică se caracterizează prin mai multe eliminări în decurs de o zi, cu fecale împrăștiate, adică nu compacte și omogene. Această tulburare are o evoluție cronică, în sensul că poate dura câteva săptămâni, sau chiar luni, deci nu trebuie să fie confundată cu apariția unor episoade diaerice recurente intercalate, totuși, cu perioade mai mult sau mai puțin lungi de eliminare a unor fecale normale. Chiar dacă acesta este un fenomen mult mai rar decât diareea cronică, constituie una dintre cele mai mari probleme greu de soluționat la vârstă mică. Din păcate, în jurul unui copil care este afectat de diaree cronică se creează, în scurt timp, o atmosferă de reală tensiune. Deseori, aceste îngrijorări duc la apariția unei spirale incontrolabile și la încercarea de a introduce o serie de alimente dietetice, de controale medicale, analize de laborator, recuperări în spital, verificări ale funcționalității aparatului digestiv și, uneori, chiar intervenții invazive. În lumina apariției unei astfel de evoluții dramatice, este necesar să înfruntăm problema în mod rațional, dar mai ales cu echilibru.

Este necesar să abordați problema în mod echilibrat. Mai întâi, în cazul în care creșterea și comportamentul copilului sunt normale, nu trebuie să faceți nimic urgent și, mai ales, nu trebuie să încercați să îmbunătățiți imediat aspectul și consistența fecalelor și nici măcar să reduceți frecvența acestora, limitând dieta, sau eliminând unele alimente. O astfel de intervenție nu este întotdeauna pozitivă. Înainte de a suspenda un anume tip de aliment, trebuie să fiți siguri că diareea este cauzată de acel aliment și, mai ales, că micuțul nu va avea de suportat consecințe (creștere lentă, pierdere în greutate).

Ce să facem în cazul diareei cronice?

Un mod echilibrat și responsabil de a acționa este acela de a observa comportamentul copilului pe o anumită perioadă (2-3 săptămâni) și:
• să estimați dacă fecalele au, într-adevăr, un aspect și caracteristici care să vă determine să le considerați anormale;
• să țineți seama de numărul eliminărilor, dar mai ales de cantitatea de fecale eliminate (copilul până într-un an elimină, în medie, mai puțin de 150 g pe zi; copilul care are peste un an elimină mai puțin de 200 g; este vorba de valori indicative, dar sunt utile în orientarea diagnosticului);
• estimați variațiile de greutate a copilului. O stopare momentană poate să nu fie semnificativă, în schimb trebuie să luați în serios pierderea în greutate.

Care ar putea fi modul echilibrat de a interveni?

Trebuie să vă adresați medicului pediatru, care se va afla în fața a două posibilități diferite de a acționa, ambele valabile, între care va trebui să alegeți ținând cont mai ales de calitatea vieții copilului (fizică și

Ce anume trebuie făcut în caz de pierdere în greutate?

psihologică): una va fi aceea de a elimina imediat alimentele ce reprezintă o potenţială cauză a diareei (lapte, cereale care conţin gluten etc.) şi cealaltă de a supune copilul unei serii de analize şi unei eventuale recuperări în spital (cu riscul de a recădea în spirala bolii).

Ce este intoleranţa faţă de gluten?

Este unul dintre aspectele cele mai complexe în materie de tulburări intestinale cronice, caracterizată prin intoleranţa faţă de o proteină conţinută în unele cereale (glutenul). Cerealele care conţin această substanţă sunt grâul, ovăzul, orzul, secara. Este posibil ca glutenul să nu fie tolerat de intestinul copilului şi să determine apariţia unei boli numită boală celiacă (*boală intestinală*), care se manifestă prin diaree cronică, cu eliminare de fecale foarte abundente (mama se miră cât de multe fecale elimină copilul, în comparaţie cu cantitatea de alimente consumată), asociată cu lipsa poftei de mâncare, creştere scăzută sau stopată, atât în greutate, cât şi în lungime, iritabilitate, anemie. În general, începe la puţine luni după înţărcare, de obicei spre 8-10 luni de viaţă. În realitate, boala intestinală este o boală mult mai complexă decât o simplă diaree cronică, putând implica şi alte organe şi aparate, şi de multe ori este depistată la o vârstă adultă prin apariţia altor simptome, fără ca vreodată să fi prezentat tulburări intestinale. Dar pe noi ne interesează aspectul pediatric, care, în manifestarea sa cea mai frecventă şi evidentă, se prezintă cu diaree.

Cum se vindecă boala intestinală?

Tratamentul vizează alimentaţia şi constă în eliminarea absolută a glutenului din alimentaţie. Puteţi găsi în comerţ o serie de alimente preparate fără gluten (pâine, paste, biscuiți, grisine etc.), fapt pentru care instituirea unei diete adecvate este relativ simplă. Totuși, deseori este posibil ca, după un timp, copiii, mai ales cei mai mari, datorită faptului că se simt mai bine, să încerce să refuze aceste alimente artificiale, dând dovadă de un mare interes față de cele naturale, care conțin gluten. Este sarcina mamei de a face astfel încât dieta să fie menținută cu fermitate, evitând cât mai mult posibil să arate copilului pâinea, pastele și biscuiții normali.

Copilul trebuie să urmeze dieta fără gluten toată viața. Trebuie spus, pentru a alunga îngrijorările mamelor, că dieta fără gluten nu provoacă efecte negative cu privire la creșterea și dezvoltarea copilului.

Cât trebuie să dureze dieta fără gluten?

În mod normal, în jurul vârstei de 6 luni. În ultima vreme, mulți gastroenterologi pediatri sugerează ca acesta să fie introdus încă de la început, deoarece susțin (și nu greșesc) că dacă copilul prezintă intoleranță față de această substanță, la fel va fi și în cazul introducerii glutenului mai târziu. Personal, consider că, atâta timp cât copilul crește bine și cu o dietă care nu conține cereale cu gluten și înregistrează o creștere majoră în greutate în primele 6 luni de viață, nu este cazul să îl „zgândărim" cu un aliment potențial dăunător în faza de creștere majoră pentru ca, apoi, să îi provocăm o boală care ne va obliga să îl hrănim fără gluten. Bunul-simț ne sugerează să mai așteptăm!

Când se introduce glutenul în dieta sugarului?

193

Ce analize trebuie făcute în cazul în care suspectăm că micuțul suferă de boala celiacă?

Se începe cu unele teste serologice (ale sângelui) pentru a depista: *anticorpi antitransglutaminază, anticorpi antiendomisium, imunoglobina IgA, anticorpi antigliandină (mai cunoscuți sub denumirea de AGA)*. Pentru copiii care au peste 2 ani, este suficient să determinați doza de anticorpi antitransglutaminază. Dacă testele serologice sunt pozitive, trebuie neapărat să se efectueze o biopsie intestinală. Nu se poate da diagnosticul de boală intestinală dacă nu există măcar o biopsie intestinală pozitivă.

Ce se înțelege prin diaree recurentă, sau intermitentă?

Este o diaree care se manifestă printr-o alternanță de perioade cu eliminare de fecale normale și perioade cu fecale diareice. Este vorba de o tulburare numită, în mod generic, *colon iritabil*. În general, această formă de diaree nu presupune eliminarea de mari cantități de fecale și nici pierdere ridicată de lichide, nu necesită intervenții deosebite din punct de vedere dietetic și nici farmacologic, și nu compromite creșterea copilului. Și, mai ales, mai devreme sau mai târziu, trece! Singura problemă este aceea că o alertează pe mamă.

CONSTIPAȚIA

În primul an, constipația este o problemă gravă pentru copil?

Este gravă pentru mame, dar cu mult mai puțin din punctul de vedere al medicilor pediatri, deoarece, în timp ce diareea poate compromite procesul de creștere al copilului, constipația, în cazul în care nu este cauzată de malformații intestinale foarte rare, este doar o tulburare neplăcută, care nu împiedică dezvoltarea normală a copilului.

La sugarul hrănit în mod exclusiv cu lapte matern, constipația, care în această situație este caracterizată prin absența fecalelor timp de una sau mai multe zile, urmată apoi de eliminarea unei cantități mici de fecale și apoi de alte întreruperi, indică faptul că laptele matern este încă adecvat (de fapt copilul mănâncă, doarme și crește), dar în limitele suficienței. Este primul semnal pe care sugarul îl transmite mamei, pentru a o anunța că s-ar putea ca, peste puțin timp, laptele ei să nu mai fie de ajuns.

Ce semnificație are constipația în cazul unui sugar?

Unii medici pediatri spun, în mod corect, că și o săptămână! Cunoscând atitudinea mamelor de a gândi ca un adult, pentru care constipația constituie o gravă indispoziție (în timp ce pentru copii nu este!), vă sugerez *să așteptați 3 zile de absență a fecalelor și apoi să stimulați eliminarea*. În același timp, se consideră ca fiind important să verificați dacă laptele mamei este suficient. Dacă se accentuează constipația, sugerez să continuați cu laptele matern, dar să introduceți și o masă cu lapte artificial; dacă micuțul reîncepe să elimine, este bine; dacă persistă constipația, adăugați încă o masă și așa mai departe, până se ajunge la un ritm normal de eliminări.

Câte zile poate sta sugarul fără să își facă nevoile?

În cazul micuțului alăptat artificial, este oportun și suficient să recurgeți la mici modificări ale dietei prin adăugarea zaharurilor care favorizează formarea fecalelor mai moi. În caz de alimentație cu lapte de vacă, constipația poate fi cauzată de un exces de lapte care, în loc să fie administrat prin diluarea corectă cu apă, este administrat în starea lui naturală.

Ce să facem în cazul în care copilul alăptat artificial este constipat?

Poate fi constipat și copilul cu alimentație mai complexă?

Da, în acest caz, constipația este caracterizată fie de absența fecalelor, fie de eliminarea unor fecale foarte tari. Deci, copilul poate prezenta aceste două aspecte ale constipării: elimină cu dificultate fecale cu o consistență foarte dură, cel puțin o dată pe zi, sau nu elimină nimic.

Ce trebuie făcut în caz de constipație?

La copiii care au fost înțărcați (între 5 luni și un an) constipația, de altfel foarte rară, poate fi combătută atât prin adăugarea făinii de cereale în lapte, cât și prin înlocuirea supelor de zarzavaturi cu legume pasate. Cu alte cuvinte, în cazul din urmă, prin creșterea asimilării de fibre. Poate fi utilă administrarea abundentă de sucuri de fructe și este avantajoasă administrarea unui iaurt normal sau cu fructe. Acțiunea stimulatoare a fructelor pare să fie cea mai eficientă dacă acestea sunt consumate pe stomacul gol.

Care este conținutul de fibre în alimentele cele mai obișnuite?

Tărâțele 35%, pâinea integrală 17%, fasolea 10%, cartofii 7%, orezul 4,2%, morcovii 2,9%, perele 2,6%, prunele 1,5%. Tărâțele reprezintă, în mod sigur, cel mai eficient aliment, dar nu sunt ușor de administrat, deoarece nu se dizolvă și deoarece copilul simte în guriță ceva straniu, care îl deranjează și care nu îi place. O strategie utilă (funcționează aproape întotdeauna): adăugați în toate mâncărurile lichide (lapte, iaurt, supe) cantități foarte mici de tărâțe, cantități pe care să le măriți treptat (dar puțin câte puțin). Copilul nu își va da seama de nimic și va consuma o cantitate tot mai mare de fibre. Opriți-vă când își face nevoile o dată pe zi. În ceea ce privește consumul fructelor și al legumelor, deseori copilul nu le mănâncă cu plăcere și nu este acceptată nici măcar o creștere minoră a cantității acestor alimente.

Da. Crăpăturile superficiale ale pielii anale sunt mici răni care se formează în orificiul anal și care provoacă durere în momentul trecerii fecalelor. Astfel, la copil, apare un „cerc vicios". Durerea provocată de acestea determină o reținere a fecalelor: fecalele reținute și deci foarte dure provoacă aceste răni. În cazul constipației și al rănilor, atenția trebuie să se concentreze atât asupra îngrijirii rănilor prin folosirea de medicamente potrivite, cât și asupra dietei pentru modificarea consistenței fecalelor.

Constipația poate provoca crăpături superficiale ale pielii anale?

Nu, deoarece administrarea unor astfel de medicamente la copiii mici este dificilă, datorită faptului că dozarea este dificilă. Cert este că deseori mamele, neobținând niciun rezultat cu ajutorul unor doze mici de laxativ sau purgativ, comit greșeala de a mări cantitatea, ducând la provocarea diareei. Printre puținele medicamente permise se numără cele care facilitează tranzitul și formarea fecalelor moi. Uneori, laxativul poate provoca mult aer în intestin și unele dureri abdominale.

Se pot folosi, sau trebuie să se folosească laxative în caz de constipație la sugar?

Da, purgativul folosit timp îndelungat poate deveni cauza constipării în momentul în care nu mai este folosit, deoarece intestinul a deprins obiceiul de a fi ajutat și nu mai reușește să funcționeze bine singur.

Purgativul poate da obișnuință?

Nu este greșit. Pot fi folosite și clisma clasică, și supozitoarele sau micile irigatoare cu glicerină, mai ales în cazurile în care, timp de mai multe zile, constipația a dus la formarea unor fecale atât de solide, încât s-au transformat într-un soi de dop dureros. Totuși, folosirea acestora nu trebuie să devină un obicei.

Este corect să stimulăm copiii cu ajutorul irigatoarelor sau al supozitoarelor?

197

Este adevărat că folosirea frecventă a acestora poate deveni obișnuință?

Nu. Folosirea lor nu trebuie să devină un obicei, deși este oportun să se recurgă la aceste metode ori de câte ori este necesar (în realitate, destul de frecvent). În orice caz, este indicat ca aplicarea acestora să se facă prin rotație. Deci, nu folosiți numai irigatorul sau numai supozitorul, ci o dată unul, o dată celălalt.

Este posibilă folosirea asociată a purgativelor și a stimulatorilor?

Da, în cazurile în care se instaurează cercul vicios constipație-durere, folosirea purgativelor asociată cu irigări poate duce la deblocarea situației și, deci, permite reluarea unui ciclu normal de eliminare a fecalelor. Totuși, această decizie trebuie lăsată pe seama medicului și nu trebuie luată de către părinți.

CRUSTA LACTEE

Prin termenul popular de *crustă lactee* se înțelege o afecțiune care atacă pielea copiilor; este numită „lactee" deoarece apare în perioada alăptării.

Câte tipuri de crustă lactee există?

Nu există termenul științific de „crustă lactee". Afecțiunile cărora cultura populară le atribuie aceată denumire sunt, de fapt, *dermatita seboreică* și *eczema atopică*, care, deși prezintă leziuni ale pielii destul de asemănătoare, caracterizate prin pete roșii, eczeme acoperite de cojițe fine de culoare alb-gălbuie și/sau de coji mai mari și cu crustă, prezintă diferențe substanțiale și au tratamente medicale diferite.

Ce este dermatita seboreică?

Este o afecțiune a pielii cu un debut precoce (în prima lună de viață), care se retrage spontan în câteva luni (cel mult un an). Poate afecta numai pielea capului, dar deseori începe de pe frunte sau de la sprâncene și se poate răspândi pe față, pe cutele urechilor, pe cutele de la subsuoară şi în zonele corpului acoperite cu scutece. În general, este evitată regiunea din jurul gurii. Rareori poate afecta corpul şi membrele. Nu provoacă mâncărime.

Dermatita seboreică se vindecă spontan în doar câteva luni şi, în realitate, lăsând la o parte problema estetică, nu creează mari tulburări. Deseori, printr-o igienă adecvată (nu întârziaţi prima băiţă) se previne apariţia sa. Băiţa zilnică efectuată cu atenţie este cea mai bună măsură pentru eliminarea riscurilor de apariţie a acestei tulburări. Faceţi-o cum trebuie (amintiţi-vă să săpuniţi capul şi faţa), căci în caz contrar este posibil ca unii copii să înceapă să prezinte fie o descuamare a pielii capului, fie unele pete roşii cu mici băşici alburii pe frunte şi pe faţă. Acesta este începutul dermatitei seboreice. O situaţie agravantă este cazul în care aceasta acoperă prea mult copilul. Din păcate, prea puţine băi şi prea multe hăinuţe reprezintă un binom care, aproape întotdeauna, coexistă cu proastele obiceiuri ale unor mame. Dermatita seboreică nu are nevoie de îngrijiri specifice şi nu cere modificarea obiceiurilor alimentare.

Este vorba de o dermatită apărută datorită unei reacţii alergice anormale a organismului (denumită *atopie*). Are un debut întârziat în comparaţie cu dermatita seboreică (aproape niciodată nu apare înainte de luna a treia) şi, de obicei, regresează spre vârsta de 3-5 ani.

Leziunile se caracterizează prin pete roşii, eczeme acoperite cu cojiţe fine de culoare alb-gălbuie şi/sau cu coji mai mari şi cruste. Leziunile sunt diferite în funcţie de faza acută sau cronică şi de vârsta copilului.

În faza acută, rănile sunt „umede"; în faza cronică, acestea sunt „uscate". Afectează fața, pleoapele, zona periorală, gâtul, corpul, suprafața flexorie a membrelor și, după 6 luni, și o suprafață mai extinsă. Dă multă mâncărime. Aceasta este accentuată de variațiile de temperatură și de o transpirație excesivă; crește odată cu vârsta, astfel încât cauzează leziuni, datorită scărpinatului, care înrăutățesc situația și pot fi cauză a infectării rănilor.

Care este diagnosticul eczemei atopice?

Diagnosticul este cel pus de medic, iar soluția aparține tot lui, deoarece nu există examene specifice de laborator. Testele alergologice care se pot face încă din luna a treia servesc la aprofundarea diagnosticului.

Ce se face în caz de eczemă atopică?

Vă adresați imediat medicului, alegeți unul și nu vă plimbați de la un medic pediatru la un medic dermatolog și viceversa. Înainte de toate, ați risca să primiți informații contradictorii. Trebuie să aveți încredere în părerea unui singur specialist! Vă sugerez unele indicații universal acceptate în domeniul terapeutic. Eczema atopică are nevoie de îngrijiri care constau în:
• îngrijirea pielii și a mediului;
• terapie farmacologică;
• dietă.

Ce se înțelege prin îngrijirea pielii și a mediului?

Regulile principale sunt următoarele:
• hidratarea pielii prin efectuarea a două băi călduțe pe zi;
• evitarea hăinuțelor iritante și care provoacă o transpirație excesivă, ca de pildă lâna și fibrele sintetice;
• alegerea atentă a săpunurilor și a detergenților (urmați cu încredere sfatul medicului);

• faceți astfel încât copilul să se scarpine cât mai puțin posibil;

• curățați ambientul de praf (tapete, perdele, covoare);

• duceți copilul în vacanță la mare.

Alinarea mâncărimii cu ajutorul medicamentelor antihistaminice pe cale orală și vindecarea leziunilor pielii. După ce ați hidratat pielea cu ajutorul băilor, aplicați imediat (în 3 minute) creme sau unguente hidratante și emoliente pe bază de lanolină, vaselină, uleiuri vegetale, glicerină (mai bine dacă nu sunt parfumate). Odată absorbite, se aplică creme pe bază de cortizon. *Cortizonul* și *produsele pe bază de cortizon* sunt premisa în tratarea eczemei atopice și reprezintă unicul medicament care determină cu adevărat dispariția leziunilor pielii.

Ce se înțelege prin terapia farmacologică?

Este adevărat, efectele cortizonului sunt doar temporare. Odată suspendat tratamentul, leziunile reapar după un timp. Totuși, cortizonul ține sub control aspectele imediate cele mai neplăcute, îmbunătățind în mod remarcabil calitatea vieții copilului. Leziunile vor dispărea când boala „va decide" să se vindece.

Cortizonul nu dă rezultate definitive?

Denumirea exactă este „dietă medicală" și constă în eliminarea totală a unor anumite alimente din dieta copilului. Problema dietei medicale este greu de abordat și continuă să fie oarecum controversată, deoarece, de exemplu, unele alimente se pot dovedi nepotrivite prin testele alergologice și pot, în schimb, să fie cauza eczemei. Pentru copiii afectați de această problemă, dincolo de aspectele riguros științifice,

Ce se înțelege prin dietă?

201

trebuie să intervină mai ales bunul-simț, adică trebuie să se evalueze dacă merită efortul, cu alte cuvinte dacă originea și gravitatea eczemei atopice sunt de natură să îl determine pe medic să recurgă la restricțiile alimentare.

Care sunt alimentele cele mai implicate?

În 90% din cazuri, acestea sunt: laptele, ouăle, grâul, peștele. Dar niciun aliment nu poate fi considerat în totalitate „inocent".

Eczema atopică este o boală gravă?

Nu, dar este foarte iritantă, compromite calitatea vieții copilului (și a familiei), dar în niciun caz creșterea acestuia. Personal, o definesc ca *boală a copilului sănătos*.

APETITUL

Sugarul poate prezenta o scădere a apetitului?

Da, uneori, sugarul poate prezenta o scădere a apetitului, care, totuși, este de scurtă durată și este, în general, consecință fie a unei boli scurte, fie a unui banal exces de alimentație, sau chiar a unei temporare digestii proaste. În timpul acestor indispoziții, copilul poate prezenta și unele mici eliminări diareice sau episoade intermitente de vomitat.

Ce să facem în aceste situații?

Nu trebuie să faceți greșeala de a forța copilul să mănânce; într-o foarte mare parte din cazuri, rezultatele ar putea fi contrare, de înrăutățire a apetitului și de creștere a probabilității de a vomita sau de a avea diaree. Modul corect de a vă comporta este cel diametral opus. Dacă micuțul este alăptat la sân, se va autoregla mâncând mai puțin. Dacă este alăptat artificial, este necesar să suspendați (înlocuind unele mese cu lapte cu o dietă exclusiv hidrică) sau să diminuați concentrația obișnuită a laptelui (reducând numărul de măsuri de lapte praf în apa pentru diluare, care, în schimb, trebuie să respecte aceeași doză). Această reducere a alimentației se poate face pentru 1-2-3 mese, rareori timp de 24 ore. Desigur, după această dietă, copilul va reîncepe să mănânce cu poftă. Unica și adevărata problemă este să convingeți familia (mama, tata, bunicii) să suspende alimentația. Dacă, în ciuda tuturor acestor măsuri, pofta de mâncare nu revine, va fi necesar să nu subevaluați situația încercând să descoperiți cauza ce duce la lipsa apetitului, ci să vă adresați medicului pediatru.

Și la această vârstă, cauzele unei scăderi temporare a poftei de mâncare trebuie căutate în indispoziții trecătoare (la această vârstă, nu uitați de dentiție). Tactica trebuie să fie mereu aceeași: dați copilului să mănânce mai puțin. Din păcate, acesta este un moment foarte delicat pentru raportul mamă-copil, deoarece deseori coincide cu revenirea mamei la locul de muncă; ea e foarte îngrijorată dacă micuțul ei mănâncă mai puțin. Este semnificativ faptul că mamele care mi se adresează pentru această problemă o fac pe un ton dramatic: „Copilul meu nu mănâncă nimic!". În mod inconștient, se simt vinovate că își neglijează copilul. Din această cauză se naște teama că bebelușul nu crește bine, că devine subnutrit, datorită faptului că nu l-au îngrijit în mod adecvat. Și din această cauză sunt dispuse să facă totul pentru a-l vedea că mănâncă. Din păcate, această atitudine este întru totul greșită și, uneori, poate produce copilului, mai ales fetițelor, o aversiune față de mâncare, aversiune care poate avea repercusiuni și mai grave în viitor.

Dacă, după înțărcare, copilul nu mai mănâncă, ce trebuie să facem?

Ce anume trebuie avut în vedere în cazul scăderii apetitului?

„Așa-zișii" parametri sau indicatori ai stării de bine: creșterea (chiar scăzută, dar constantă, nu scăderea greutății!), coloritul (mai ales al buzelor), vioiciunea, dinamismul, tonusul muscular, somnul, achizițiile psihomotorii.

Se poate întâmpla ca micuțul să mănânce mai puțin deoarece este sătul de mâncărurile obișnuite?

Nu. Amintiți-vă că micuțul „mănâncă pentru a trăi" și nu „trăiește pentru a mânca". Aceasta este mentalitatea adulților. Și apoi, simțul gustului, în primul an de viață, nu este foarte dezvoltat. În general, el preferă să mănânce alimentele obișnuite și privește și gustă mâncărurile noi cu oarecare neîncredere. Când gustul se va dezvolta, bebelușul va începe să fie atras de mâncăruri noi și mai complexe. Vă veți da seama de acest lucru deoarece va fi atras de ceea ce mâncați dumneavoastră.

Există medicamente care fac să revină pofta de mâncare?

Nu, nu există medicamente inofensive care să stimuleze apetitul. De fapt, există medicamente care duc la creșterea acestuia, dar care ar trebui să intre în categoria dopării. Sper că niciun părinte nu dorește să își „dopeze" proprii copii din cauza apetitului scăzut! Este sarcina unui medic pediatru bun de a o convinge și liniști pe mamă (la fel și pe tată, pe bunici), arătându-i greșelile care trebuie evitate și convingând-o că, dacă bebelușul se prezintă în condiții generale bune, apetitul scăzut nu este o problemă, ci o caracteristică comportamentală. Nu uitați că și în rândul copiilor (ca și la adulți) există „mâncăcioși" și copii cu poftă de mâncare foarte scăzută!

SOMNUL

Înainte de toate, este necesar să cunoașteți câteva lucruri, simple și clare, cu privire la somnul copilului:

• Copilul nu suferă de lipsă de somn, deoarece doarme datorită unei nevoi fiziologice și nicidecum datorită faptului că în ziua următoare trebuie să fie odihnit pentru a se duce la serviciu, ca noi.

• Pentru nou-născut și pentru sugar, somnul reprezintă, împreună cu alimentația, una dintre puținele activități fundamentale ale vieții lor. Va deveni una dintre multele acțiuni fiziologice ale organismului său, atunci când copilul va crește și va începe să cunoască lumea.

• Trecerea de la starea de veghe la somn, la orice vârstă (inclusiv vârsta copilăriei), constituie un moment de tranziție care cere punerea în acțiune (chiar involuntar) a unei serii de mecanisme care predispun organismul la odihnă (de exemplu, pentru adult, alegerea poziției, cititul câteva minute etc.)

Cât trebuie (sau ar trebui) să doarmă copilul în primul an de viață?

Răspunsul la această întrebare nu este ușor de dat, deoarece comportamentul copiilor nu poate fi redus la simple scheme și numere, care sunt rigide. În general, se poate afirma despre copii că:

• în prima lună, dorm aproape tot timpul (cel puțin 20 de ore pe zi);

• între 2 și 6 luni, dorm câte 18 ore;

• între 6 și 12 luni, dorm câte 16 ore (10 ore noaptea, 3 ore dimineața și 3 ore după-amiaza);

• de la 2 ani, dorm câte 12-15 ore (inclusiv cele 3 ore de după-amiază);

• până la 6 ani, dorm câte 12 ore (plus sau minus 3 ore).

Este necesar să respectăm, și în cazul somnului, alegerile pe care le face copilul?

Da. Și datorită faptului că este cu adevărat dificil (și crud) să țineți treaz un sugar căruia îi este somn, sau să îl obligați să doarmă când nu îi este somn. Totuși, cu timpul, nu este greșit să încercați să adaptați exigențele și alegerile micuțului, dar cu blândețe, la ritmul de viață al restului familiei.

Este posibil să ne dăm seama dacă un copil de până la un an doarme suficient?

Nu, nu se poate afirma cu certitudine dacă un copil doarme suficient, dar se poate spune dacă doarme mai mult sau mai puțin față de medie. Dacă beneficiază de o sănătate bună, este vioi și activ, nu dă dovadă de somnolență, atunci înseamnă că, în mod cert, doarme suficient.

Când se poate spune că un sugar doarme bine?

În primele luni de viață, se consideră că doarme bine copilul care doarme, în timpul nopții, timp de 5 ore fără întrerupere. Mulți părinți consideră că micuțul este nedormit deoarece acesta se trezește de mai multe ori în timpul nopții. În realitate, în primele 3 luni de viață, numai 70% dintre copii dorm cel puțin 5 ore fără întrerupere, 80% dintre cei cu vârsta cuprinsă între 3 și 6 luni, 90% dintre cei spre vârsta de un an.

Există vreun copil care „nu doarme"?

Înainte de toate, este necesar să se determine dacă există o insomnie adevărată sau dacă părinții sunt cei care dau amploare unor ușoare tulburări ale somnului copilului. Realitatea se prezintă astfel: problema somnului unui copil, în general, nu este considerată o problemă până când nu devine o tulburare pentru familie. Pe scurt, somnul copilului este, în realitate, problema adulților. Evaluarea, pe care trebuie să o facă medicul pediatru, este cea referitoare la condițiile generale de sănătate a copilului. Sugarul care creşte bine şi constant, chiar dacă doarme puţin, este un copil sănătos. Deci, nu sunt necesare intervenţiile medicale sau terapeutice pentru a dormi. Teama faţă de insomnie este o nevroză, o falsă problemă a vieţii moderne. În prezent, somnul este considerat o necesitate la care nu se poate renunţa.

Atunci trebuie să supraevaluăm problema somnului copilului?

Nu. Problema nu trebuie exagerată, însă pentru găsirea echilibrului familiei, trebuie găsită soluţia corectă. Pentru că dacă micuţii au dificultăţi în a adormi sau se trezesc de mai multe ori pe parcursul nopţii, părinţii ajung să fie stresaţi şi obosiţi, în timp ce, în general, copilul se simte foarte bine. Deşi necesităţile copilului trebuie să fie prioritare, şi părinţii au dreptul la odihnă şi trebuie ajutaţi în momentele dificile. Iar insomnia bebeluşului este într-adevăr un moment foarte dificil.

Care sunt cauzele problemelor legate de somn?

Există cauze care ţin de constituţie. Caracterul copilului este, în mod sigur, o cauză care ţine de constituţie. Copiii deosebit de agitaţi, vioi, iritabili în timpul zilei, au deseori, noaptea, dificultăţi în a adormi şi se trezesc frecvent. Aceasta deoarece fie au moştenit un caracter particular, fie, deseori, s-au născut cu dificultate. De asemenea, nu trebuie să subapreciem cauzele care ţin de ambient. Una dintre acestea, poate cea principală, este starea de tensiune a părinţilor. Părinţii nervoşi, care deseori suferă, la rândul lor, de insomnie, sunt predispuşi să aducă pe lume copii care nu dorm. Apoi, se adaugă proasta educare a somnului datorată părinţilor: mulţi părinţi, care simt nevoia de a dormi, recurg, de fapt, la o serie de artificii pentru a se asigura că cel mic adoarme. Între aceştia întâlnim şi genul care pune copilul în pat oferindu-i un biberon cu ceai de muşeţel, apă sau lapte. Astfel, se instaurează prostul obicei care, deseori, reprezintă unul din primii pași spre escaladarea viciilor ce caracterizează problema somnului la copil, care, probabil, va ajunge să doarmă ca părinții.

Este adevărat că apariția dentiției poate da insomnie?

Insomnie adevărată, nu. Dar, în perioada apariției dinților, copilul poate da semne de neliniște și, mai ales dacă este un copil care de regulă are tendința de a dormi puțin, în mod cert, perioada de veghe se extinde.

Cum se poate favoriza somnul?

Trebuie să îl înveseliți pe copil în timpul zilei, mai ales atunci când se apropie ora pentru somn. Pentru cei mai mici, vă sfătuiesc să le faceți baie seara și să îi înfășurați cu un prosop cald, sau ultima masă pe care le-o dați să fie mai consistentă, sau să urmați un ritual prin care copilul să fie dus la culcare în prezența acelorași zgomote sau a aceleiași muzici, cu aceeași jucărie sau cu aceeași păturică. De fapt, copilul trebuie să poată pune în funcție toate mecanismele care îi permit să depășească momentul de tranziție între veghe și somn (să sugă suzeta, degetul, scutecelul, baveta, să îmbrățișeze păpușica etc.). Este mai puțin recomandabil să i se dea un biberon cu ceai de mușețel sau cu apă îndulcită, sau chiar cu lapte.

Dacă micuțul se trezește în timpul nopții și plânge, trebuie să îl controlăm?

Dacă părinții știu să mențină un ambient liniștit, nu nevrotic, în jurul micuțului, rareori se întâmplă ca bebelușul, în primul an de viață, să se trezească în timpul nopții. În mod sigur se trezește dacă somnul lui este oscilant (somn profund, urmat de un somn ușor sau de trezire momentană). În timpul nopții, copilul se trezește de 4-5 ori. Și, de fiecare dată, își pune în funcțiune acea serie de mecanisme personale indispensabile pentru a reuşi să depăşească dificila perioadă de tranziţie dintre trezie şi somn, pentru ca apoi să adoarmă la loc. Dacă se întâmplă ca micuţul să plângă şi un adult (mama, tata, bunica) îi vine în ajutor, prezenţa şi intervenţia acestuia devin mecanisme indispensabile ulterior pentru reluarea somnului şi, deci, din păcate, adultul va trebui să fie prezent la fiecare trezire.

Deci, este oportun ca părinţii să lase copilul să plângă?

Nu; este oportun ca părinţii să îşi controleze propriile atitudini. Nu este justificată atitudinea acelora care, din principiu, nu vor să îi obişnuiască prost pe copii şi, astfel, adoptă un comportament dur: „Dacă se trezeşte şi plânge, nu mă duc la el; mă duc doar dacă plânge tare". În acest caz, copilul (părinţii uită adesea că acesta este mai inteligent decât îşi imaginează ei) înţelege destul de repede: cu cât plânsul este mai tare, cu atât mai mult există posibilitatea de a atrage atenţia asupra sa. Nu este corect nici să săriţi repede, imediat, la prima mişcare a copilului. Dacă părinţii nu ar alerga imediat, în mod sigur, copilul ar adormi după câteva clipe.

Cum trebuie să ne comportăm?

Lăsaţi-vă ghidaţi de bunul-simţ. În cazul trezirilor nocturne, duceţi-vă să îl verificaţi fără a vă face simţiţi. Nu vă speriaţi din cauza unor comportamente care sunt naturale. De exemplu, în timpul somnului, deseori, copiii deschid ochii, îşi mişcă braţele şi capul, respiră aparent neregulat şi cu lungi perioade de respiraţie accelerată, uneori emit mici scâncete, ca şi cum ar face un efort. Sunt manifestări normale şi, dacă vă duceţi repede, există riscul de a le tulbura somnul şi de a-i trezi de tot.

Există un tratament pentru tulburări ale somnului?

La această întrebare aş răspunde punându-vă o altă întrebare: „Există tulburări ale somnului la copii?" De fapt, copilul nu suferă de lipsă de somn, deoarece doarme datorită nevoii fiziologice şi nu datorită faptului că, în timpul zilei, va trebui să desfăşoare o activitate. Tratamentul pentru tulburări ale somnului copilului este, fundamental, de tip psihologic sau, ca să dau o definiţie mai bună, educativ. Părinţii trebuie să se înarmeze cu răbdare şi să nu uite că micuţul are tot dreptul să doarmă, cel puţin în primii ani ai existenţei sale, aşa cum consideră el că îi este mai bine. În mod sigur, este indispensabil să se evite crearea unei stări de tensiune ambientală. În general, copilul care are părinţi (mai ales mama) liniştiţi, disponibili, plin de responsabilitate cu privire la propriul rol educativ şi capabili să facă acest lucru echilibrat, nu prezintă în general tulburări ale somnului. Amintiţi-vă că micuţii se pot naşte cu anumite caracteristici, adică dorm bine sau dorm prost, şi că este dificil, sau aproape imposibil, să schimbaţi atitudinea acestora din urmă. Ceea ce contează este starea de bine generală a micuţului. Trebuie să faceţi în aşa fel încât somnul să devină cât mai puţin traumatizant. În fond, copilul nu cere decât să stea cu propriii părinţi şi să se simtă iubit şi acceptat. Faceţi acest lucru cu multă disponibilitate şi seninătate.

Trebuie să folosim o atitudine fermă?

Vă atrag din nou atenţia asupra faptului că nu trebuie să folosiţi o atitudine dură. Un copil care plânge este un copil care transmite o cerere sau o necesitate nesatisfăcută. În loc să abordaţi o atitudine dură, încercaţi să înţelegeţi ce anume aţi pierdut din vedere. Mulţi părinţi se baricadează în spatele clasicei fraze: „Sunt doar mofturi". Acest mod de a înfrunta o astfel de problemă mi se pare foarte superficial şi lipsit de responsabilitate.

În general, problema se pune după primul an de viață, dar, în realitate, își are rădăcinile în primul an. Dacă dormitul într-un pat mare este ultima posibilitate, nu este corect din punct de vedere educativ, dar poate fi comod. În rest, dacă se ajunge în acest punct, părinții au comis deja multe greșeli, fapt ce exclude succesul oricărei „intervenții terapeutice". În țările anglo-saxone este la modă „toată familia în pat mare". Când mi se pun întrebări cu privire la acest subiect, răspund că mi se pare a fi mai degrabă o dorință a părinților și a copiilor, dar, cu toată franchețea, nu sunt convins pe deplin. Iar dubiile mele cresc și convingerea mea, cum că este vorba mai mult de o dorință a părinților, se clatină apoi, când mă gândesc la bucuria cu care copiii dorm în patul cel mare atunci când lipsește unul dintre părinți. Faptul că toată familia doarme la un loc, duce, în mod sigur și în timp, la apariția unor probleme. De exemplu, îndepărtarea copilului de fiecare dată când părinții vor patul pentru ei. Unii psihologi se gândesc chiar și la eventuale abuzuri sexuale etc.

Este bine să punem copilul pe un pat mare?

Aproape niciodată problemele nocturne ale copilului nu trebuie neapărat tratate din punct de vedere psihologic, chiar dacă, în mod excepțional, în cadrul unui program terapeutic, poate fi utilă administrarea, pentru un timp, de sedative sau hipnotice pentru a-i ajuta pe părinți să recupereze o parte din somn. În mod normal, se folosește un medicament numit Promatezină. Trebuie administrat cu circa 2-3 ore înaintea orei de somn. Dozele trebuie prescrise de către medic. Totuși, în general, dozele folosite pentru sedarea copilului care plânge noaptea sunt foarte ridicate și pot cauza, în ziua următoare, o stare de confuzie. Uneori, când este vorba de părinți disperați,

Se pot administra copilului medicamente pentru vindecarea tulburărilor somnului?

aflaţi la limita suportabilităţii (să nu uităm că be-beluşul care nu doarme poate provoca violenţă la părinţii care sunt extenuaţi din punct de vedere psi-hic), medicul pediatru vă poate ajuta.

Tusea

Tusea este o problemă de sănătate a copilului care provoacă mare îngrijorare în rândul părinţilor.

Ce este tusea?

Tusea este cel mai eficace mecanism de apărare, pus în funcţiune de aparatul respirator (alcătuit din gât, trahee, bronhii, plămâni); tocmai din această cauză, trebuie privită ca un fapt pozitiv, cu sarcina de a pro-teja una dintre funcţiile cele mai importante ale existenţei noastre: funcţia respiratorie.

De ce tuşim?

În fiecare zi, căile respiratorii vin în contact cu o foarte mare cantitate de aer (de la 3 000 la 10 000 li-tri). În consecinţă, o mare cantitate de substanţe stră-ine, pe care acesta le conţine, este inhalată zilnic. Apărarea împotriva acestor substanţe este asigurată de o constantă producere a unei mucozităţi, care se formează în plămâni şi în bronhii în scopul de a le îngloba. Mucozitatea astfel produsă alunecă treptat în sus şi în afară şi, deci, spre gât, unde este înghiţită şi, în final, eliminată fără să ne dăm seama. Tusea ac-celerează şi intensifică acest proces de urcare a mu-cozităţii din plămâni spre gât. În decurs de o zi, chiar dacă nu suntem răciţi (deci, în condiţii normale) tuşim pe neaşteptate, de câteva ori, deoarece avem nevoie să stimulăm accelerarea mucozităţii care s-a format. Deci, tusea este un fenomen natural, care ne însoţeşte zilnic, chiar dacă nu ne dăm seama. Când se instalează procesele inflamatorii ale aparatului respirator, se produce mai multă mucozitate și, deci, tusea devine mai frecventă și mai persistentă.

Tusea se poate manifesta în diverse moduri, unele având caracteristici atât de specifice, încât părinții atenți sunt în măsură să dea medicului indicii utile pentru stabilirea diagnosticului. Poate fi:

Cum se manifestă tusea?

• tuse numai diurnă;
• tuse numai nocturnă;
• tuse diurnă și nocturnă;
• tuse seacă, neproductivă;
• tuse infecțioasă, productivă;
• tuse convulsivă (asemănătoare sunetului scos de un câine);
• tuse cu accese (caracterizată prin accese mai mult sau mai puțin separate prin intervale libere).

Tusea numai diurnă nu este îngrijorătoare (chiar dacă micuțul tușește toată ziua); din contra, deseori este un fap pozitiv deoarece ajută copilul să elibereze mai repede mucozitatea produsă. Este un simptom al inflamării altor căi respiratorii (gât și trahee) și deci sigur nu este gravă. Tusea numai nocturnă, sau diurnă și noctură, este mai importantă deoarece, în general, vizează bronhiile. Este un simptom al inflamării căilor respiratorii mai profunde și, deci, demnă de o atenție majoră.

Există diferență între tusea diurnă și tusea nocturnă?

Tusea seacă, neproductivă, indică începutul unei stări inflamatorii nedeslușite, sau a altor căi, sau a căilor respiratorii joase. *Tusea infecțioasă*, productivă, indică faptul că starea inflamatorie scade (în sens pozitiv) și, deci, se produce foarte multă mucozitate.

Ce diferență este între tusea seacă și tusea infecțioasă?

Este adevărat că tusea convulsivă este foarte periculoasă?

Tusea convulsivă constituie unul dintre foarte puținele cazuri care necesită cu adevărat atenție de urgență la copilul de orice vârstă. Acest tip de tuse este caracterizat de un timbru metalic gutural: seamănă cu lătratul unui câine. Unele mame o numesc tuse cavernoasă. Această expresie este inadecvată. Este cauzată de o *laringită* sau de un *spasm al laringelui*.

Cum se manifestă laringita?

Laringita îi afectează mai frecvent pe copiii în primii 3 ani de viață, cu o incidență maximă în al doilea an și mai ales la băieți. Se manifestă foarte frecvent în lunile de toamnă și de iarnă și este cauzată de bacterii și viruși. Începutul este precedat, treptat, în general de o răceală sau de roșu în gât, cu tuse puțină și timbru normal. Treptat, tusea devine convulsivă și vocea răgușită. În general, copilul începe să prezinte unele accese ale acestei tuse stranii după-amiaza târziu. Acesta este cu siguranță un semnal de alarmă! Adevărata simptomatologie explodează apoi, mai ales în timpul nopții. Perioada cea mai frecventă este cuprinsă între orele 23 și 2 noaptea: tusea devine puternică și copilul prezintă dificultăți respiratorii accentuate, cu inspirație dificilă și zgomotoasă (stridentă); îi dă senzația că se sufocă, fapt pentru care se sperie și se agită mult. Dificultatea poate deveni extrem de gravă, adică gâtul se poate închide atât de puternic, încât poate duce la asfixierea copilului. Tocmai datorită acestei evoluții dramatice, *laringita necesită asistență medicală foarte urgentă*.

Cum se manifestă spasmul laringelui?

Spasmul laringelui este numit și laringospasm. Copilul se trezește în timpul nopții pe neașteptate și respiră cu zgomot (în faza de inspirație se observă un zgomot sau un hârâit în gât), cu tuse foarte sonoră.

Aceste simptome nu sunt precedate, ca în cazul laringitei, de vreun semn prevestitor (răceală, tuse normală, febră). Dar și în acest caz, ca și în cel al laringitei, copilul are o senzație de sufocare care îl sperie și îl face să se agite.

Există copii mai predispuși la tuse convulsivă?

Nu există o dovadă cum că ar exista o legătură între un anume tip de constituție a copilului și predispoziția la laringită. Totuși, este cert că această stare tinde să se repete. În mod normal, primul episod îi ia pe părinți pe nepregătite, fapt pentru care, în general, aceștia fug la spital, mai ales dacă suferința copilului îi sperie. Și fac bine! Este important să fie instruiți pentru a înfrunta eventualele episoade ulterioare. Dacă un copil a avut un episod de tuse puternică, trebuie să aveți la îndemână, întotdeauna, un medicament care conține cortizon, chiar și după ce copilul mai crește. Cortizonul (în doze mari!) este unicul medicament care poate rezolva problema.

Ce să facem în caz de recăderi?

Este important să știți să recunoașteți semnele prevestitoare, mai ales pe cele mai îngrijorătoare. Primul semnal al pericolului este prezența câtorva accese de tuse convulsivă după-amiaza târziu care se accentuează progresiv spre seară. Alte semne îngrijorătoare, care, în general, se manifestă mai ales în timpul nopții, sunt reprezentate de o inspirație intensă și hârâită, prezentă chiar și când copilul este liniștit, de o forțare a musculaturii la baza gâtului (*jugulara*) și la baza toracelui (*epigastrul*), de o intensă stare de agitație.

Ce să facem în cazul tusei convulsive?

La apariția semnelor prevestitoare, trebuie imediat să creșteți foarte mult umiditatea aerului, folosind umidificatori normali; în lipsa acestora, se poate crea un ambient umed dacă puneţi apă la fiert continuu. La umezire trebuie să adăugaţi administrarea de cortizon, care este unicul medicament cu adevărat eficient. Dacă simptomatologia apare dintr-odată noaptea, întâi administraţi cortizon şi apoi încercaţi să liniştiţi şi să potoliţi copilul, care se simte agitat şi, mai ales, foarte speriat de dificultatea respiratorie.

Cortizonul este atât de important?

Da, cortizonul este unicul medicament în măsură să rezolve problema, mai ales dacă se administrează la primele accese de tuse puternică. Nu vă fie teamă să i-l daţi chiar şi în doze mari, indiferent de vârsta copilului. Pe vremea când nu exista cortizonul, multor copii li se făcea traheotomie, iar unii chiar mureau.

Este oportun să ţinem mereu în casă medicamente pe bază de cortizon?

Da, şi nu numai să le ţineţi în casă, ci chiar să le aveţi în permanenţă cu dumneavoastră, oriunde şi oricând mergeţi cu un copil care a avut odată tuse puternică. Nu este necesar ca medicul să vă prescrie dozele pe care să le folosiţi în caz de necesitate; instruiţi persoanele cărora le încredinţaţi copilul.

Cortizonul este un medicament periculos?

Este un medicament important şi, deseori, salvează viaţa copilului! Mai bine să i-l daţi în doze mari, decât să fie insuficient! Nu vă fie teamă; ţineţi minte că în cantităţi mari, date de puţine ori, cortizonul este mult mai puţin dăunător decât dacă se administrează în doze mici şi pe perioade mai lungi.

Ce este tusea cu accese?

Tusea cu accese este caracterizată de accese mai mult sau mai puţin frecvente, separate prin intervale de pauză. Este tipică *tusei convulsive* şi, deseori, unei boli grave numite *bronşită*.

Bronșita la sugar este o boală gravă, care se manifestă mai ales la micuții născuți prematur. Este cauzată de viruși și se caracterizează prin prezența unei tuse iritabile și continue.

Ce este bronșita?

În formele cele mai grave, tusea devine slabă și epuizantă; este prezentă respirația grea și, foarte frecvent, fremătarea nărilor, contracții, în faza de inspirație, la baza gâtului (jugulara) și la baza toracelui (epigastru). Copilul este suferind, palid și nu mănâncă. Trebuie dus la spital!

Cum se manifestă bronșita?

Tusea convulsivă este boala infecțioasă a copilăriei, caracterizată prin crize cu accese de tuse.

Ce este tusea convulsivă?

În condiții normale, este ușor de diagnosticat. În prezent, diagnosticarea este mai dificilă deoarece toți copiii sunt vaccinați și, în mod greșit, se consideră că sunt imuni. Vaccinul nu protejează în totalitate; de fapt, unii dintre acești copii contractează și ei tusea convulsivă, într-o formă mai ușoară, dar tot contagioasă. Deci, în cazul copiilor mici, care tușesc cu accese, dar se bucură de o sănătate bună și cresc fără a da impresia că tusea îi jenează, gândiți-vă puțin și la tuse convulsivă.

Care este diagnosticul tusei convulsive?

• vârsta copilului;
• condițiile generale și eventuala stare de prostrație;
• apetitul;
• prezența febrei;
• prezența unei respirații dificile, oboseală, respirație mai accelerată;
• la cei mai mici, prezența durerilor în timpul respirației și accesele de tuse.

Care sunt elementele care trebuie avute în vedere în cazul tusei?

217

La nou-născuți, reflexul de a tuși este mai slab?

Da, la nou-născut reflexul de a tuși este scăzut și devine mai evident cu trecerea lunilor. Din această cauză, dacă tusea apare în primele luni de viață, este necesar să vă adresați imediat medicului pediatru. În realitate, în primele luni, afecțiunile respiratorii sunt foarte rare, dar, dacă apar, sunt, în general, grave (bronșite). Deci, nu trebuie să uitați că nou-născutul și sugarul pot tuși deoarece câteva picături de lapte au fost înghițite greșit sau, odată cu începerea salivării (cam în luna a doua), datorită acumulării de salivă în gât. Dar aceste situații pot determina doar accese de tuse rare. Repet: *dacă, în schimb, tusea este frecventă și insistentă, este necesar să consultați medicul.*

Ce înseamnă scăderea apetitului?

Scăderea apetitului semnalează, întotdeauna, o stare proastă ce nu trebuie trecută cu vederea. În cazul în care copilul tușește, medicul pediatru atent vrea să afle întotdeauna de la mamă dacă micuțul mănâncă sau nu. Dacă mănâncă, situația nu trebuie să vă îngrijoreze; dacă nu mănâncă, trebuie să luați măsuri.

Ce importanță să acordăm stării de prostrație?

Indiferent de vârstă, deci nu numai în cazul sugarului, starea de prostrație a copilului indică o situație gravă: lipsa vigorii, paloare, cearcăne accentuate, chiar însoțite de o tuse ușoară, și în prezența febrei, sunt semne deloc bune. Vreau să vă amintesc că pneumonia, chiar și gravă, este caracterizată, în prima fază, care este și cea mai importantă pentru începerea tratamentului, de prezența tusei, hârâită și neproductivă. Când copilul dă impresia că „nu reușește să tușească", trebuie să îi acordați foarte multă atenție; este un copil în pericol.

Greutatea în respiraţie şi respiraţia accelerată sunt, în general, manifestări ale unei *bronşite astmatice* (sau *bronşită spastică*) sau, la copilul mai măricel, a unei crize de astm. La bronşita astmatică (cea mai frecventă în primul an de viaţă) este prezentă întotdeauna respiraţia grea şi rapidă, care variază de la forme foarte uşoare, aproape imperceptibile, la forme mai evidente, în funcţie de gravitatea bolii; tusea, care uneori poate fi şi uşoară, este, la început, foarte iritabilă.

Ce semnificaţie are respiraţia grea şi rapidă?

De multe ori, atunci când copiii tuşesc, greutatea cea mai mare pe care o întâmpină medicul este aceea de a o convinge pe mamă să nu administreze medicamente. Din fericire, copiii ştiu să se apere şi, deseori, refuză să ia siropurile, sau se opun, cu toate puterile, administrării supozitoarelor. Tratarea tusei trebuie stabilită în baza unui diagnostic precis şi nu în funcţie de sensibilitatea mamei.

Cum se vindecă tusea?

Medicamentele cele mai folosite (nu întotdeauna şi cele mai utile) sunt cele pentru tuse, care au funcţia de a atenua reflexul. Efectul sedativ, altminteri greu de obţinut, este mai degrabă contrar deoarece, anulând sau atenuând tusea, reduce efectul depurator. În cuvinte mai simple: blocând tusea, infecţia nu poate fi îndepărtată şi, stagnând-o, se favorizează dezvoltarea altor germeni. Medicamentele trebuie folosite numai în caz de tuse iritabilă neproductivă nocturnă. Medicamentele expectorante au calitatea de a favoriza eliminarea mucozităţii prin diverse mecanisme (fluidificare şi desprindere a mucozităţii), dar nu întotdeauna se obţine o îmbunătăţire sau o accelerare a vindecării bolii. Inhalatorul este util, dar nu întotdeauna este uşor de administrat la

Care sunt medicamentele cele mai folosite?

219

copii. Medicamentele pentru tuse trebuie să fie, întotdeauna, prescrise de către medic.

Există copii care tușesc tot timpul?

Da. În general, este vorba de un copil care are o sănătate optimă și care a început să frecventeze creșa. Tusea acestui copil este de tip gutural, fără a fi însoțită de febră, preponderentă în timpul zilei sau prezentă în timpul zilei și care se accentuează, pentru scurt timp, atunci când copilul este pus în pat. Deci tusea dispare și micuțul doarme toată noaptea. Când se trezește, tusea revine și se manifestă, iarăși, aproape toată ziua. În unele zile, tusea este intensă, apoi urmează o perioadă de atenuare relativă (nu dispare!) pentru ca apoi să revină, menținând o desfășurare oscilantă pe tot timpul iernii. În mod sigur, dispare atunci când copilul este dus la mare sau la munte.

Ce probleme pune copilul care tușește tot timpul?

Probleme deseori „nerezolvabile", deoarece nu este nevoie decât de liniștirea părinților și de „apărarea copilului". Lucrul cel mai important a fi luat în considerare este condiția generală a micuțului. Dacă este vioi, mănâncă normal (ceea ce poate însemna și atunci când mănâncă puțin, ca de obicei), dacă nu are febră, terapia nu este alta decât aceea de a o convinge pe mamă că micuțul nu are nimic grav.

Există medicamente specifice pentru acest tip de tuse?

Nu, și este inutil să administrați siropuri, supozitoare sau picături, în scopul de a atenua tusea; părinții trebuie să se convingă că, în aceste cazuri, tusea este un act pozitiv: prin intermediul acestui proces, copilul elimină infecția acumulată, împiedicând stagnarea. Nici medicamentele care ar trebui să favorizeze expectorarea nu sunt de folos în acest caz, deoarece expectorarea este deja abundentă.

Şi inhalatorul se poate dovedi util (totuşi, este greu să îi convingeţi pe copii să folosească acest aparat). O cură drastică ar fi aceea de a recurge la o terapie antibiotică cu efect sigur, dar de durată scurtă: de fapt, după doar câteva zile de la încetarea acestui tratament, tusea revine, fără excepţie.

Inhalatorul este util?

Suspendarea frecventării creşei şi o perioadă de şedere într-o climă mai favorabilă pot duce la îmbunătăţirea situaţiei. Deci, nu vă faceţi griji, dar acordaţi atenţie condiţiilor generale, eventuala apariţie a febrei, scăderea vioiciunii, o uşoară stare de oboseală, schimbare a umorii, scăderea vizibilă a apetitului etc. Totuşi, realitatea este alta: de fapt, ne găsim în faţa unui moment important al creşterii şi dezvoltării copilului. A început, pentru el, perioada de „socializare imunologică".

Pe scurt, cum trebuie să ne comportăm?

MEDICAMENTELE

Antibioticele sunt medicamente foarte bune şi extrem de importante. Înainte de descoperirea acestora, mulţi copii mureau din cauza unor boli pe care, în prezent, le considerăm aproape banale. Acestea au proprietatea de a ucide bacteriile (acţiune bacteriană) sau de a împiedica multiplicarea (acţiune bacterostatică) în organism.

Care sunt medicamentele cu adevărat importante pentru copii?

Pentru ca acestea să acţioneze cât mai bine, trebuie să se respecte următoarele reguli:
• Alegeţi antibioticul adecvat, sarcină care îi revine medicului, în baza experienţei sale, sau în baza indicaţiei precise din antibiogramă.

Cum se administrează antibioticele?

• Respectați doza corectă, care se calculează în funcție de greutate.

• Respectați ritmul administrării zilnice (de câte ori pe zi trebuie luat medicamentul). Scopul este de a menține în sânge un nivel eficient de antibiotic. Există antibiotice care trebuie administrate la fiecare 6, 8, 12 sau 24 de ore.

• Respectați durata administrării (câte zile). Antibioticul trebuie să fie prezent în organism pentru o perioadă suficient de lungă, astfel încât să distrugă toate bacteriile. Suspendarea prematură poate expune organismul la recăderi.

Cum să ne comportăm la folosirea cortizonului?

Produsele pe bază de cortizon sunt, în prezent, medicamentele de care părinții se tem cel mai mult. Trebuie să admit că această teamă este destul de justificată, deoarece produsele pe bază de cortizon se numără printre puținele medicamente „care nu sunt inutile" și care, în prezent, sunt la dispoziția medicilor pediatri și, deci, trebuie folosite cu prudență. Folosirea acestora trebuie să fie, întotdeauna, prescrisă de către medic. Trebuie să se respecte dozele, orele, ritmul și durata administrării. Medicamentele pe bază de cortizon sunt derivați hormonali și, deci, au o acțiune multiplă și complexă, care intervine în multe funcții ale organismului. În general, din punctul de vedere al medicului pediatru, este exploatată activitatea lor antiinflamatorie. Teama față de aceste medicamente are ca rezultat folosirea unor doze mici atunci când se administrează copilului. În realitate, acest comportament este greșit, deoarece au efecte negative mai evidente prin administrarea unor doze mici pe timp mai îndelungat, decât atunci când dozele sunt mari și pe o perioadă scurtă. La copii sunt folosite, aproape întotdeauna, în cazuri de urgență (forme grave de laringită sau astm), fapt pentru care nu trebuie să vă temeți să administrați doze mărite. În cazul folosirii prelungite a medicamentelor pe bază de cortizon, atât pentru boli acute (durată mai mare de 8 zile), cât și pentru boli cronice (chiar luni), înainte de a le suspenda trebuie să reduceți doza treptat și zilnic. Cortizonul și produsele pe bază de cortizon sunt medicamente extraordinare, care permit vindecarea bolilor extrem de grave. Nu trebuie să ne temem de ele, ci doar să le folosim bine.

Întotdeauna trebuie să aveți la îndemână un antibiotic, conform sfatului medicului pediatru, fie o amoxicilină, fie o cefalosporină, cortizonul și, în fine, un antipiretic, în general paracetamolul.

Ce medicamente să avem mereu în casă?

Index al întrebărilor

1. NAȘTEREA

2. NOU-NĂSCUTUL

3. ALĂPTAREA

4. ÎNȚĂRCAREA

5. CUM SĂ NE OCUPĂM CU ATENȚIE DE COPIL

6. PLÂNSUL

7. SUZETA ȘI DEGETUL MARE

8. DENTIȚIA

9. CREȘTEREA

10. DEZVOLTAREA PSIHOMOTORIE

Index al întrebărilor

11. ȘI ACUM, SĂ IEȘIM!

12. ORGANELE DE SIMȚ

13. MERSUL

14. VACCINURILE

15. PRIMELE INCONVENIENTE

Index al întrebărilor

Index analitic

Index analitic